Cadeau de
Celine = Guy
Ce 10 JANVIER 2018

MERCi !
· x · x

Un cri se fait entendre

Jean Vanier

Un cri se fait entendre

Mon chemin vers la paix

NOVALIS

Novalis ISBN : 978-2-89688-247-2
Dépôt légal – Bibliothèque et Archives nationales du Québec, 2017
Bibliothèque et Archives Canada, 2017

NOVALIS
4475, rue Frontenac, Montréal (Québec) H2H 2S2 Canada
C.P. 11050, succ. Centre-ville, Montréal (Québec) H3C 4Y6 Canada
Tél : 514 278-3025 – 1 800 668-2547
sac@novalis.ca • novalis.ca

La vérité vous rendra libres
Évangile de Jean 8, 32

Chapitre 1

ÉLOGE DE LA RENCONTRE

Ce livre est né d'une urgence.

Devant le triste spectacle des divisions, des peurs, des guerres et des inégalités qui se répandent dans notre monde, devant la dépression et les désespérances de tant de jeunes, j'ose partager avec vous un chemin d'espérance qui m'a été ouvert.

Au cours de ma vie, ce sont les personnes avec une déficience intellectuelle qui m'ont peu à peu transformé, en me libérant de mes peurs, en me révélant ma propre humanité. Après les attentats terribles qui ont frappé la France, il me semble plus que jamais important de témoigner d'une fraternité possible entre les êtres de cultures, de religions et d'histoires différentes. Rien n'est perdu. Un chemin vers l'unité, la fraternité et la paix est possible. L'avenir dépend de chacun de nous. Notre pape François nous encourage depuis le début de son pontificat à la rencontre des plus pauvres, des exclus et de toutes celles et tous ceux qui vivent une différence. Il nous invite à nous laisser évangéliser par ces personnes, à recevoir leur part de sagesse. Le pape nous appelle à vivre une culture de la rencontre.

Rencontrer la différence, œuvrer sans cesse à bâtir des ponts et non des murs. C'est le chemin de la paix.

Depuis plus de cinquante ans, les plus vulnérables de nos communautés de l'Arche m'ont appris à accepter mes propres faiblesses et mes limites. À leurs côtés, j'ai compris que je devais me défaire de mes résistances, de mes sursauts d'orgueil, afin de devenir plus libre pour mieux les aimer et me laisser aimer. Le pape ne dit pas autre chose, lui qui nous appelle à aimer tous ceux qui ont été mis de côté, fragilisés par des relations brisées, exclus et humiliés : gens de la rue, détenus, etc. Je pense aussi aux personnes homosexuelles qui, d'une certaine manière, vivent parfois leur différence comme une exclusion, dans un monde qui les accepte mal. À l'Arche, j'ai compris que la souffrance des personnes avec un handicap m'avait progressivement uni à celle des réfugiés et des migrants qui fuient les guerres dans l'espérance d'une vie plus humaine et plus libre. J'ai désormais 89 ans et mes forces s'amenuisent. Mais j'ose lancer ce cri : libérons-nous ! Libérons-nous de nos peurs qui dressent des murs entre les groupes et des personnes. Libérons-nous de nos rêves de pouvoir qui nous font dominer les autres. Libérons-nous de nos rivalités, des instincts de conquête qui nous aveuglent. Libérons-nous de nos courses au succès, de nos possessions maladives et de nos désirs de supériorité, qui nous empêchent de vivre pleinement la culture de la rencontre, pour qu'advienne un monde de paix et d'unité. Ces paroles viennent contredire l'esprit de compétition qui tend à régir nos sociétés modernes. Toujours plus haut, toujours devant ; voilà ce qui risque de nous enfermer dans des groupes élitistes où nous nous croyons protégés. Les humiliés dont je partage le quotidien m'ont appris tout autre chose. Et j'en suis témoin : il y a un vrai bonheur à vivre à rebours de cette course folle ! Ces humiliés m'ont enseigné le chemin de la sagesse heureuse. À leurs côtés, j'ai appris lentement à me dessaisir, à m'abaisser, à m'accepter avec mes faiblesses, même s'il me reste encore bien du chemin à parcourir pour leur ressembler.

*

Au soir de mon existence, je voudrais tenter de retracer quelques étapes de cette libération intérieure.

Mon propos est celui d'un homme pauvre, en perpétuelle conversion, qui voudrait partager sa passion de vivre et son engagement. Je reçois souvent des jeunes investis dans de nombreux domaines : action sociale, dialogue interreligieux, renouveau pour notre planète Terre, accueil des plus vulnérables... Et je suis admiratif de leur fougue : elle me fait dire que la relève est en marche. J'aimerais, par ces paroles, encourager tous ceux qui œuvrent pour la paix en faisant tomber les murs.

Me lancer dans une telle entreprise, avec la fatigue de l'âge, s'annonçait comme un défi. Mon amitié avec François-Xavier Maigre, poète et écrivain, qui dirige le magazine *Panorama* où je tiens chaque mois une chronique, a permis que nous nous y attelions ensemble, avec patience et complicité. Ce livre n'aurait pas pu vraiment exister sans lui et je tiens à le remercier chaleureusement pour son écoute. François-Xavier aurait l'âge d'être mon petit-fils, et il a su trouver les mots pour m'aider à transmettre le flambeau aux nouvelles générations. Ces pages témoignent d'une très belle alchimie entre ma pensée, mon expérience, et la sensibilité poétique d'un jeune auteur. Pendant plusieurs mois, nous nous sommes vus régulièrement chez moi, à Trosly. Nous avons beaucoup échangé, débattu… François-Xavier a découvert un peu de l'intimité de notre foyer, le Val fleuri, en se joignant à nos tablées toujours très animées. Et c'est ainsi qu'est né, semaine après semaine, cet éloge de la rencontre…

*

Savez-vous que l'Arche a commencé presque par hasard ? Au fond de moi, j'avais ce désir d'une vie communautaire avec les pauvres, fondée sur l'Évangile. L'étincelle s'est produite il y a plus de cinquante ans, lorsque nos sociétés riches étaient ouvertes à quantité de nouveautés. À cette époque, j'ai découvert le climat de violence des institutions accueillant les personnes avec un handicap mental. Dans l'une d'elles, je me suis lié avec deux hommes atteints de déficiences intellectuelles, et je leur ai proposé de venir avec moi. Nous avons commencé à vivre ensemble et nous avons beaucoup ri. Nous étions heureux. Nous passions le plus clair de notre temps à la cuisine, autour de la table. Tant d'inoubliables moments… Puis l'Arche a grandi, si merveilleusement, par la douce main de Dieu. Si j'en étais le moteur, j'en étais surtout le premier surpris. De fait, nous répondions à un besoin criant. Les demandes affluaient ; nous tâchions de les accueillir. Des volontaires du monde entier sont progressivement venus nous prêter main-forte. Certains y ont découvert leur vocation. D'inspiration chrétienne, l'Arche s'est peu à peu élargie aux hindous, aux musulmans, aux juifs, aux bouddhistes. Elle regroupe aujourd'hui cent quarante communautés réparties dans une quarantaine de pays sur les cinq continents. Ensemble, nous avons commencé à découvrir une unité sur le plan humain. La possibilité d'un bonheur partagé, en dépit de nos différences culturelles. Plus encore, nous avons découvert que la vie avec des personnes intellectuellement déficientes était source d'une joie insoupçonnée. Beaucoup d'entre elles révèlent un cœur immense, sensible et aimant. Notre communauté internationale a pris très vite beaucoup d'ampleur.

Quant à moi, peu à peu, j'étais transformé en découvrant une vision nouvelle pour notre société. Le succès de l'Arche me valut des honneurs auxquels je me suis parfois prêté, pour attirer l'attention sur la richesse des plus fragiles. Proclamer un message de fraternité, voilà ce qui m'a animé de plus en plus nettement. Grâce à l'Arche, nous avons appris que la vie avec les personnes touchées par un handicap est une façon de guérir nos cœurs si souvent fermés et d'aller à la rencontre de tous ceux qui portent le handicap de l'exclusion et de l'humiliation. Transformés par les plus faibles, nous découvrons que nous pouvons ensemble œuvrer pour une transformation de nos sociétés. Les plus fragiles nous ouvrent à l'espérance.

Dans l'actualité parfois sombre et décourageante, alors que l'égoïsme, la peur, l'insécurité, la désespérance et la haine nous ferment sur nous-mêmes, il m'a semblé important de témoigner de cette espérance, dans une lumière nouvelle.

Comme si, de chacune de nos intimes libérations dépendait la guérison des peurs qui, de façon plus globale, paralysent notre monde et sont la source de nos violences, de nos rejets de l'autre, de nos fermetures sur nous-mêmes.

Tant de murs se dressent entre nous, tant de mécanismes de protection endurcissent nos consciences. Je crois que nous avons besoin de petits signes d'espérance pour inventer de nouvelles voies… Celles qui conduisent à une fraternité universelle.

En voici quelques-uns :
sans faire beaucoup de bruit,
ils ont inspiré mon chemin
et m'ont éclairé jusqu'à ce jour…

*

Chapitre 2

UNE PRÉSENCE ENFOUIE

S'il est une sagesse dont je n'ai pas fini de m'abreuver, c'est bien celle d'Etty Hillesum. Dans son journal, cette jeune femme juive, morte en déportation à Auschwitz, évoque l'existence d'un puits caché au creux de son être. Dans ce puits, écrit-elle, réside Dieu : « Parfois je viens à l'atteindre mais plus souvent des pierres et des gravats obstruent ce puits et Dieu est enseveli, alors il faut le remettre au jour. »

Pour entrer en relation avec Dieu, nous devons nous libérer de tout ce qui nous encombre et qui nous empêche de le rencontrer. Je le crois vraiment. Dieu est cette présence enfouie, cette source capable d'étancher nos soifs. Il faut descendre pour le trouver.

Il m'a suffi, pour en faire l'expérience, de me laisser conduire par les plus faibles, les plus fous et les plus humiliés de nos sociétés. C'est un long chemin qui s'est ouvert devant moi. J'ai dû apprendre à écarter patiemment ces pierres, ces gravats qui m'empêchaient de rencontrer Dieu. Et je suis loin d'en avoir fini. L'Arche m'a fait découvrir combien les murs qui séparent les êtres humains peuvent sembler difficiles à abattre, consolidés par les pierres qui se logent au fond de nos cœurs et bouchent la source. Toute la question consiste à trouver comment les enlever.

*

Chapitre 3

DES BARRIÈRES EN MOI

Lorsque je me suis rendu au Chili, il y a quelques années, j'ai été accueilli à l'aéroport par Denis. Ce dernier s'était proposé de me conduire à Santiago, métropole de cinq millions d'habitants, où j'allais visiter nos communautés de Foi et Lumière. Nous voici sur la route. Les premiers kilomètres s'égrènent sous un soleil immense. Mon regard se perd dans les sinuosités du paysage lorsqu'apparaît, en lisière de chaussée, un amoncellement de tôles et de parpaings. La pauvreté, dans son expression la plus crue. Ce n'est que le début de mes surprises. De l'autre côté de la route, à quelques dizaines de mètres seulement, le décor est bien différent. Luxe, calme et opulence. Saisissant contraste ! Denis se range sur le bas-côté et m'en apprend un peu plus. « À gauche de la route, ce sont les bidonvilles de Santiago. À droite les demeures des familles riches, sous haute protection policière et militaire. » Mon hôte marque un silence. Et me jette un regard triste : « Cette route, Jean, personne ne la traverse jamais. » Les riches ont peur des pauvres, les pauvres ont peur des riches. Quelque chose de très puissant les sépare. Comme un mur. Une frontière. Chaque groupe est enfermé derrière ses murs de sécurité. Paradoxale époque où certaines routes, censées permettre de communiquer, marquent d'infranchissables limites. Mais de barrières il en est d'autres, plus souterraines, qui enclavent nos cœurs. Celles-ci restent cachées à nos yeux. Elles se nourrissent de nos peurs les plus secrètes, de nos blessures les plus profondes. Elles assèchent nos existences, sans que nous nous en rendions compte. L'expérience m'a enseigné qu'il est vital de les faire tomber pour éprouver ce qu'est la vraie liberté, celle qui fonde notre humanité, et pour laquelle Dieu nous a faits.

Oui, le secret d'une vie heureuse tient peut-être à ce processus de libération pour nous conduire vers une source intérieure qui ouvre à une fraternité universelle. Et l'histoire de l'Arche est à mes yeux une longue et merveilleuse histoire de libération. Abattre progressivement les murs qui cachent cette source, parce que nous avons peur de notre vulnérabilité. Ils nous empêchent de rencontrer l'autre différent, de l'aimer comme Dieu l'aime. C'est une lutte de chaque jour. Au commencement, tout être humain naît vulnérable, avec son innocence primale. Voyez le tout-petit : il a besoin de sa mère et de son père pour se sentir en paix, en sécurité, se savoir aimé inconditionnellement. En grandissant, l'enfant se confronte au monde. Il apprend à s'accomplir par lui-même, comme s'il devait prouver qu'il est aimable et capable. Ses parents s'efforcent de l'éduquer de leur mieux en l'aimant, en le protégeant. Mais quoi qu'ils fassent, ce sentiment de vulnérabilité ne disparaît jamais vraiment : il reste tapi au plus profond de son être. Sans toujours en avoir conscience, nous avançons avec nos fragilités originelles. Ce sont elles qui, inconsciemment, motivent nos quêtes d'infini et de pouvoir, nos courses au succès, nos besoins de reconnaissance et nos désirs de possession. Pourtant, au fond de nous-mêmes, nous avons soif de l'infini véritable. Amour qui comblerait tout notre être. Amour qui guérirait nos blessures. Amour qui étancherait nos soifs de relation. Et souvent, la réalité ne nous semble pas à la hauteur de nos aspirations. Voilà comment, au gré des déceptions et des épreuves, nous venons à ériger d'imprenables murailles autour de nos cœurs vulnérables, mais aussi autour des groupes auxquels nous appartenons. Par nos postures défensives, nous croyons nous prémunir. En réalité, ces attitudes finissent par nous emprisonner.

Comment nous défaire de ces murailles ? Avant tout, en acceptant de les nommer. Les mots ouvrent un puissant chemin de guérison. Puis, en découvrant une force nouvelle, à puiser en nous-mêmes, force capable de nous apaiser et de nous sécuriser au-delà de toute espérance. La rencontre quotidienne avec les personnes faibles a permis à mes barrières de se fissurer peu à peu. J'ai compris que la vraie liberté consistait à s'approcher de Dieu à travers la présence et le sacrement du pauvre, comme le dit saint Jean Chrysostome. Et cette vie m'a fait toucher du doigt la promesse de Jésus : « La vérité vous rendra libres. »

*

Chapitre 4

Vers une plus grande liberté

Quand je me penche sur ma propre vie intérieure, sur ma croissance humaine et spirituelle, je constate que la recherche constante d'un accomplissement humain, d'une forme de plénitude aura été, à certains moments, mon moteur essentiel.

Après des années, quelque chose de nouveau m'a motivé. Je me sens toujours animé d'un plus grand désir de vivre avec Jésus. Il me semble que ma vie spirituelle s'est approfondie à mesure que les barrières autour de mon cœur s'effritaient. Plus ces contreforts tombaient, plus mon vrai « moi » jaillissait. Ma personne profonde commençait à s'éveiller. Je me découvrais vulnérable sans en avoir peur. Je sentis ma liberté s'éveiller.

Pour moi, tout s'est passé très progressivement. Jour après jour, saison après saison. Avec douceur, dirais-je même. Presque inconsciemment. J'étais conduit par la main de la tendresse des pauvres et des personnes fragiles vers quelque chose de toujours neuf. Comme s'il s'agissait de me dépouiller lentement de mes certitudes, de tous ces désirs, de toutes ces postures qui m'emmuraient. Comme je ressens le besoin impérieux d'être libéré de ces désirs de reconnaissance, de domination ! Ils ne m'ont pas toujours conduit à des relations justes avec certaines personnes ni à des comportements adéquats en tant que responsable. Moi aussi, je suis vulnérable, j'ai soif de relation. À mon âge, je vois clairement combien ces désirs, apparemment légitimes, sont tous habités par des tendances captatrices, aussi bien vis-à-vis de moi-même que vis-à-vis des autres.

Ces brèches m'ont permis de cheminer vers un autre désir, paisible celui-là mais de plus en plus brûlant. Désir d'unité plus grande en moi, et de pacification. Désir d'unité autour de moi, entre des personnes de différentes religions et cultures, et de capacités différentes. Pour la paix. Bien sûr, je suis encore loin de cette totale liberté que l'Esprit saint voudrait me donner ! Il y a, j'en suis sûr, encore bien des mécanismes de protection qui me séparent des autres, et doivent sauter. Des angoisses subsistent, des peurs enfouies dont j'ignore et les causes et les remèdes. Probable également que l'avenir me réserve des moments difficiles. De la souffrance, peut-être, quand je serai moi-même devenu une personne avec un lourd handicap. Je vieillis et mes forces s'érodent. C'est un fait que je ne peux ignorer.

Pourtant, j'en ai la certitude : les défis à venir m'amèneront à une plus grande paix intérieure. Un bonheur nouveau me sera donné dans mon grand âge. J'ai l'espérance de vivre ce bonheur dans ma faiblesse ultime — c'est-à-dire en mourant — accueilli dans les doux bras de Dieu, qui viendra me chercher et me combler comme un ami bien-aimé.

*

Chapitre 5

UNE ENFANCE EUROPÉENNE, ENTRE ESPÉRANCE ET MENACE

Remontons un peu le cours du temps. Aussi loin que me portent mes souvenirs, rien ne me préparait à une telle existence. Tout a commencé dans mon enfance, à l'aube des grandes déchirures du siècle. Mes parents, Georges et Pauline Vanier, originaires du Québec, étaient tous deux profondément chrétiens. En 1938, lors d'un sermon prêché par un jésuite éloquent, mon père a fait pour la première fois l'expérience du Dieu d'amour. L'intensité d'une présence qui, soudain, enveloppait sa prière d'une chaleur insoupçonnée. Lui qui avait reçu une éducation janséniste, rigide et très austère, découvrait la foi sous un nouveau jour. Ma mère, elle, passait pour une femme exubérante, légèrement dépressive, mais dotée d'une immense soif de Dieu. Elle cultivait des liens d'amitié avec plusieurs carmels, dont elle se sentait spirituellement proche.

Cette ferveur a rayonné sur notre fratrie. Nous étions cinq enfants : ma sœur aînée, Thérèse, qui deviendra médecin en soins palliatifs et fondatrice de l'Arche au Royaume-Uni, mon frère Benedict, qui entrera dans l'ordre cistercien, et Bernard,

un peu plus âgé que moi, futur artiste peintre. J'étais le quatrième. Un frère cadet, Michel, un homme merveilleux, étof-
fera encore nos rangs. À côté de mes aînés, tous trois brillants
sujets, je faisais pâle figure. On me considérait comme un élève
médiocre, peu prometteur. Et pour couronner le tout, j'avais
hérité d'une santé fragile. Thérèse et Benedict, à qui tout réussissait, me semblaient parfois inaccessibles. J'étais en revanche
très proche de Bernard, d'un an mon aîné, qui jouait son rôle
de protecteur. C'était un homme d'une grande bonté. Il veil-
lait sur moi.

*

Je suis né en 1928, à Genève, où mon père était conseiller
militaire à la Société des Nations. Il avait embrassé une carrière diplomatique après l'épisode douloureux et tragique de la
Première Guerre mondiale. Papa avait perdu sa jambe droite
lors d'une offensive meurtrière dans le Pas-de-Calais, à Chérisy,
en 1918, au sein du célèbre 22e bataillon canadien qu'il avait
contribué à créer. Avant même ma naissance, le handicap phy-
sique grave est entré dans notre histoire familiale. Ces trois années dans la boue des tranchées firent de mon père un homme
extraordinairement courageux. Cette force intérieure irradiait
son visage et marquait son entourage. Au milieu des fantassins,
sous la mitraille et les pluies d'obus, il s'était forgé un sens aigu
de la camaraderie. Et il ne l'a jamais oublié. Même en 1932,
lorsqu'il est devenu le numéro deux du Haut-commissariat du
Canada au Royaume-Uni. Mon père savait rester fidèle à ce
qu'il était. À Londres, j'ai vécu une enfance heureuse. Nous

étions scolarisés chez les jésuites. Mais, une nouvelle fois, il a fallu traverser la Manche et déménager. Au début de l'année 1939, papa a été nommé ministre plénipotentiaire du Canada en France. Subitement, la guerre éclate et bouleverse notre vie et nos projets. Au cœur de la tourmente, nous avons fait le choix de rester ensemble. Nous nous sommes réfugiés dans un château de la Sarthe, réquisitionné par le gouvernement français. En mai 1940, les troupes allemandes envahissent la France, en passant par la Belgique. Des images très nettes me reviennent. Je me souviens avoir pris part à ce grand mouvement d'exode. Nous étions, avec les miens, mêlés à la population française en déroute. Après bien des péripéties, nous avons pu nous sauver vers Bordeaux. C'est à bord d'un contre-torpilleur de la marine anglaise, puis d'un navire de la marine marchande, que nous avons regagné, *in extremis*, le Royaume-Uni.

Quelques mois plus tard, nous étions de retour au Canada, où mon père exerça dès 1941 le commandement militaire du district de Québec. À Montréal, j'ai pu reprendre le fil de ma jeunesse, entre l'école ignacienne et les dimanches en famille, toujours nourri par cet enracinement dans l'espérance et dans la foi. En 1959, papa est devenu gouverneur général du Canada, c'est-à-dire représentant de la reine d'Angleterre. Il l'est resté jusqu'à sa mort. Élevé aux fonctions suprêmes du pays, il demeurera un homme si humble…

*

Chapitre 6

L'APPEL AU LARGE

Ce jour est gravé dans ma mémoire. Nous sommes en 1942. Dans notre milieu d'intellectuels et de militaires, la gravité des temps ne laisse personne indifférent. Nous n'oublions pas ce que nous avons vécu en France. D'inquiétantes nouvelles arrivent chaque jour d'Europe, et, du haut de mes 13 ans, je sens naître un désir irrépressible : intégrer le collège de la Royal Navy de Dartmouth, en Angleterre, qui forme les futurs officiers de marine. Pourquoi ? Je n'en sais rien. Est-ce pour conquérir mon indépendance ? Est-ce l'exemple de mon propre père, figure de l'armée canadienne, qui m'inspire cet élan ? Est-ce un désir d'œuvrer pour la paix dans un monde de guerre ? Au fond, cela me dépasse. C'est une évidence qui me saisit et je ne peux lutter contre. C'est une petite voix intérieure qui m'y pousse irrésistiblement. Je sais que je dois partir. Sans tarder. Pas si simple ! Étant donné mon âge, j'ai besoin d'obtenir l'aval de mon père, qui vient d'être promu général de division. Je le respecte autant qu'il m'impressionne. C'est dans son bureau militaire que nous nous retrouvons, papa et moi. Le tête-à-tête qui s'engage est étonnant. Après avoir déployé des trésors d'argumentation pour tenter de me dissuader de partir, mon père, tout général qu'il est, consent à baisser la garde. Il a compris. Il n'a pas voulu me couper les ailes. Sa réponse, empreinte de tendresse, résonne encore en moi : « J'ai confiance en toi, tu le sais. Et si c'est vraiment ce que tu désires, alors fais-le. » Que s'est-il passé ? Le père a cru en son fils. Et ce faisant, il a confirmé mon désir le plus profond. En quelque sorte, il m'a fait naître avec une nouvelle liberté. Il a cru en moi-même et en mes propres aspirations. Il a confirmé que je pouvais avoir confiance en moi-même et dans ma petite voix intérieure.

*

En mai 1942, mon père me conduit en train jusqu'au port de guerre de Halifax, à l'est de Montréal, où je dois appareiller pour l'Angleterre. Me voici, jeune recrue sans expérience, sur un navire convoyant des troupes vers les côtes européennes, de l'autre côté de l'Atlantique. Notre flottille compte une vingtaine de bâtiments, escortés par plusieurs contre-torpilleurs. La traversée s'annonce incertaine, personne ne se fait d'illusion. Un bateau sur cinq est coulé par les sous-marins allemands... Sans plus de cérémonie, je quitte ma famille — pour la première fois — laissant à quai une enfance heureuse, des visages aimés... Je m'en vais sans savoir où le courant m'emporte.

Ce changement brutal, cette perte profonde et instantanée de toutes les formes de sécurité que j'avais connues jusqu'alors, marque le commencement d'une vie radicalement nouvelle, à l'âge de 13 ans. J'ai posé ce choix librement ; contre le désir de mes parents, certes, mais avec leur bénédiction. C'est un saut dans l'inconnu, un vrai. D'où me vient cette force qui m'a propulsé au-dessus de l'Atlantique vers l'Angleterre... et qui aboutira à la fondation de l'Arche vingt-deux ans après ?

En Angleterre, il m'a fallu apprendre à vivre avec l'insécurité, au gré des alertes et des raids aériens. Paradoxalement, la précarité de cette vie, l'omniprésence du danger m'ont inspiré un sentiment de sécurité jusqu'alors méconnu. J'ai compris que j'étais libre de mes choix. Je me suis découvert, au cœur de l'Europe en guerre, une force nouvelle. Et peu à peu, j'ai pu apprivoiser cette confiance qui grandissait silencieusement en moi.

*

Chapitre 7

TOUT QUITTER...

Huit années dans la marine, voilà qui laisse des traces. Je garde un souvenir vibrant de l'école des officiers de Dartmouth, où je fus élève pendant quatre ans. Avec mes camarades, nous portions tous l'uniforme avec fierté et avions hâte de « partir en guerre » sur les bateaux. J'ai traversé l'adolescence dans ce désir d'accomplir de hautes missions dans un monde tragique. Comme tous ceux de ma génération, j'ai été bouleversé en apprenant la découverte d'Auschwitz, usine de mort et enfer sur terre, et la révélation de toute l'horreur des camps de concentration en Allemagne. Je perçois la Shoah comme une blessure inguérissable de l'humanité. Je me souviens très bien aussi de la capitulation du Japon en août 1945, après le largage de deux bombes atomiques sur Hiroshima et Nagasaki. Ce fut pour moi une déflagration morale : les êtres humains étaient capables de s'entretuer à une échelle jusque-là inconnue. Le feu nucléaire portait en lui le risque d'enfanter des catastrophes menaçant la survie même de l'humanité. Puis, en mars 1946, Winston Churchill évoqua le premier, avec sa lucidité coutumière, le rideau de fer tombé sur l'Europe de l'Est. Et comment ignorer l'« archipel du goulag » ? Alexandre Soljenitsyne dénoncera plus tard avec force toute l'ampleur du système carcéral et répressif soviétique qui perdurait depuis la révolution d'Octobre. Ces horreurs ont constitué la toile de fond de ma jeunesse, même si je n'y ai pas été directement confronté. Je mesurais le danger des tyrannies se développant au mépris de l'être humain. Et des armes nouvelles, au service de leur cause. Mais déjà, de nouveaux périls couvaient sous les cendres de nos batailles passées. Le temps de la « guerre froide » n'augurait rien de bon. Sur nos navires, nous nous préparions pour d'autres conflits à venir. Comment ne pas ressentir une angoisse profonde, un vertige des consciences, face aux risques bien réels du déclenchement d'une véritable apocalypse nucléaire ? Quelques années plus tard, j'ai accueilli avec gravité le cri salutaire du bon pape Jean, que j'avais un peu côtoyé : *Pacem in terris*.

Malgré la noirceur de ces années, j'ai aimé tout ce que j'ai vécu dans la marine. Il y a tant de choses que j'ai acquises sur le pont des navires. À commencer par une précieuse discipline du corps et de l'esprit. Je me suis fortifié en tant qu'être humain, encouragé par mes supérieurs qui appréciaient mon dévouement et me poussaient à donner le meilleur de moi-même. Leur considération m'a fait grandir. Une carrière d'officier me tendait les bras. Mais plus le temps passait, plus je me sentais attiré vers quelque chose de différent. La prière me taraudait. Dès que je le pouvais, j'assistais à l'eucharistie. Voici une anecdote amusante : en 1950, alors que je naviguais sur le *Magnificent* — l'unique porte-avions canadien ! — nous avons jeté l'ancre dans le port de La Havane, à Cuba. Une permission nous fut accordée. Tandis que tous mes amis officiers s'endimanchaient pour aller danser en ville, je leur faussai discrètement compagnie dans l'espoir de dénicher une église. À eux l'ivresse des joies insulaires ; à moi le silence d'un refuge où prier. Je me sentais de plus en plus attiré par Jésus, au point d'envisager de lui donner ma vie. Toute ma vie. La marine ? C'était ma seconde famille. Mais en même temps, je ressentais une inquiétude sourde, tenace. Cela ne passait pas. J'ignore ce qui pouvait nourrir ce sentiment. Peut-être étais-je dépourvu de cette trempe rugueuse qui forge un véritable marin… Au bout d'un moment, tout est devenu très clair. Je devrais partir. Au fond de moi, ma petite voix intérieure me disait : « Suis-moi. » Suis-moi pour mieux vivre l'Évangile. Suis-moi pour découvrir le Royaume de Dieu, le royaume de l'amour. Œuvre pour la paix, pas avec des armes de guerre, mais comme un disciple de Jésus.

Tout quitter, encore une fois. Partir, non pas pour fuir mais pour être moi-même.

*

Au début, j'avais pensé rejoindre une petite communauté de laïcs catholiques insérés au cœur de Harlem, un quartier noir et tumultueux de New York. Je les avais rencontrés quand mon bateau, le porte-avions *Magnificent*, de retour de La Havane, s'était amarré dans la célèbre ville américaine. J'étais vivement interpellé par cette communauté que j'ai pu visiter plusieurs fois. Je sentais que chacun de ces laïcs voulait suivre l'exemple de Jésus, pauvre parmi les pauvres. Néanmoins, le jésuite qui m'accompagnait à l'époque suggéra que je prenne du temps pour donner une forme à mon engagement, sans précipitation. Que faire alors ? J'ai écrit à trois prêtres de confiance, que je connaissais ou qu'on m'avait indiqués, en leur faisant part de mon désir de trouver un lieu où m'établir une année, le temps d'éclaircir mes choix. C'est l'un d'eux, le père Thomas Philippe, dominicain, qui me répond le premier, en me conviant à « l'Eau vive », un centre international d'enseignement théologique de laïcs qu'il a fondé deux ans plus tôt à Soisy-sur-Seine, non loin de Paris.

Ni une ni deux, je quitte le port d'Halifax — là même où j'étais parti pour l'Europe huit ans plus tôt — mais cette fois-ci c'est sur un paquebot que j'embarque, et sans uniforme militaire. Un civil parmi d'autres, pour la première fois depuis longtemps. Humant l'air du large, je salue les côtes de Nouvelle-Écosse qui disparaissent dans la brume avec mes rêves d'officier. Je me sens léger. Il me tarde de revoir mes parents, installés depuis septembre 1944 à Paris, où mon père a été nommé ambassadeur.

*

Après une brève escale auprès des miens, je jette l'ancre au foyer de l'Eau vive, où m'attend le père Thomas. J'y découvre un monde radicalement nouveau, très éloigné de l'ambiance des bateaux. Ici, je cherche à vivre l'Évangile dans la simplicité et la pauvreté d'une communauté. Libre de prier, de méditer. Je suis avide de découvrir le lieu futur où je pourrai servir Jésus pour le restant de mes jours. J'ai renoncé à la sécurité d'une carrière militaire, à la solde confortable qui allait avec. Mais j'éprouve une vraie joie. J'ai toute confiance en Dieu ; je me sens libre. Et je suis bien décidé à suivre ce que mon cœur et ma petite voix intérieure me dicteront. Si j'ignore encore où et comment mon projet spirituel va aboutir, j'ai le sentiment profond que je deviendrai prêtre.

*

Chapitre 8

J'AI TROUVÉ UN PÈRE SPIRITUEL

À l'Eau vive, j'assiste aux offices et à l'eucharistie tous les jours. J'apprends le latin, bientôt capable de le déchiffrer avec aisance. Deux autres disciplines viennent parfaire mes humanités : la philosophie et la théologie me sont enseignées au Saulchoir, le centre d'études des dominicains, situé non loin de Soisy. Comme je l'ai dit, je pensais devenir prêtre. Est-ce vraiment ma voie ? J'ai besoin d'en avoir le cœur net. En 1951, j'effectue un essai d'une dizaine de jours chez les Chartreux de La Valsainte, en Suisse. Mais rapidement, je comprends que la vie monastique ne me convient pas. Je ne me sens pas pleinement chez moi.

C'est alors que, pour la première fois, je vis dans l'oraison une véritable rencontre avec Jésus. Jusqu'ici, j'avais toujours eu besoin de m'imprégner de paroles, de lectures pour entrer en prière. Je récitais le chapelet, je méditais les pages d'un bréviaire. Or, voici que ma prière se mue en un cœur à cœur avec l'invisible. Elle devient un silence de paix, une joie ; le lieu de la Présence. Je me découvre aimé de Jésus. Ma vie spirituelle change du tout au tout.

Dans cet essor intime, je me sens de plus en plus porté vers le père Thomas, comme un élève vers un maître. Comme un jeune aussi cherchant quelqu'un pour lui indiquer le chemin de Jésus. Je vis des grâces sensibles et profondes à travers l'oraison, dans un abandon total. Mon avenir ? Il ne sera ni chez les Chartreux ni dans aucun autre ordre religieux. Je le devine en revanche lié à ce père Thomas qui fut le seul à me répondre et que je découvre. Ce processus suscite une nouvelle insécurité : il ne m'appartient pas de décider de mon futur lieu d'ancrage. C'est Dieu, à travers cette petite voix intérieure, qui me fera découvrir, petit à petit, ce qu'il désire pour moi. À mesure que s'affermit mon lien avec le père Thomas, une plénitude inconnue m'envahit. J'éprouve une joie intense et une grande liberté. J'ai trouvé un père spirituel qui m'accorde toute sa confiance. C'est lui qui a commencé à former mon intelligence spirituelle et théologique, en m'aidant à découvrir la conscience du cœur, la recherche de la communion comme fondement de la personne humaine et de sa croissance dans l'amour de Dieu. Il m'a appris aussi la relation filiale avec Marie, la Mère de Jésus, qui nous ouvre un chemin vers son fils. Ce lien avec le père Thomas, qui a nourri mon expérience spirituelle naissante, a été radicalement bouleversé cinquante années plus tard quand j'ai découvert comment il avait abusé d'une façon insoutenable de plusieurs femmes, dans le cadre de l'accompagnement spirituel. J'y reviendrai plus longuement.

*

Chapitre 9

« VEUX-TU DEVENIR NOTRE AMI ? »

Deux années se sont écoulées à l'Eau vive. En 1952, le père Thomas nous annonce subitement son départ, rappelé à Rome par ses supérieurs. Et il souhaite que je lui succède à la tête de la communauté. Le conseil d'administration confirme ma nomination. Mais moi, je me sens incapable d'assumer une telle charge, que ce soit sur le plan humain, théologique ou spirituel. En même temps, j'ai confiance en Dieu. Je sais qu'il me montrera ce que je dois faire. Alors j'accepte. Pendant plusieurs années, je m'efforce de maintenir l'existence de l'Eau vive, fidèle aux intuitions du père Thomas. Jusqu'à ce jour de 1956 où l'évêque de Versailles et le provincial des Dominicains me demandent, au nom du Saint-Office de Rome, de quitter la communauté. « Nous vous laissons trois semaines », me fait-on savoir. J'apprendrai plus tard que le père Thomas a été sanctionné par sa hiérarchie, sans que je cherche à connaître les causes réelles de cette décision, parmi les rumeurs contradictoires qui circulaient à leur propos.

Une fois de plus, me voilà sur la route, sans savoir où aller. Plongée dans l'inconnu. Je n'ai pas l'intention de rentrer chez mes parents qui, entre-temps, ont regagné le Canada. J'avais envisagé d'intégrer le séminaire de Québec afin de revenir, une fois ordonné, servir à l'Eau vive, et ce projet commençait à prendre forme. Mais je dois y renoncer. Je pressens que je ne deviendrai pas prêtre. En attendant, il faut bien vivre. J'ai confiance en l'Esprit saint qui me guidera. Je trouverai une voie qui me permettra de vivre avec Jésus, consacré à lui dans le « célibat pour le Royaume », selon la formule de l'Évangile de saint Matthieu (19,12). J'ai aussi la certitude que je retrouverai un jour le père Thomas. Il est mon père spirituel.

On me fait connaître un monastère cistercien, près de Cholet, en Vendée. Le père abbé m'offre d'y séjourner autant que nécessaire. J'y reste un an. Dans ce climat de prière, la même question sans cesse me revient : « Où suis-je appelé à bâtir ma vie d'homme et de disciple de Jésus ? » Ayant quitté les frères trappistes pour préparer mon doctorat en philosophie à l'Institut catholique de Paris, je loue une petite ferme dans l'Orne, au creux du bocage normand. J'y mène une existence solitaire et priante pendant une petite année.

Habité par cette soif de silence, je décide de m'abandonner, une fois encore, à la Providence divine et à un appel de l'Esprit saint. Mon voyage me mène jusqu'à Fatima, où la Vierge est apparue à trois jeunes paysans en 1917. En pleine campagne portugaise, le paisible sanctuaire marial m'ouvre les bras. C'est là, loin de toute distraction, que j'achève ma thèse sur l'éthique d'Aristote. Elle me comble, cette vie de retrait, d'intériorité et de travail ! Pour un peu, je passerais pour un ermite. Mais j'ignore toujours à quoi cette existence peut aboutir. Une intuition (la petite voix intérieure ?) me vient dans la prière : quelque chose va survenir. J'attends avec confiance un signe de Dieu. L'attente, l'abandon ; une vie simple. Et heureuse.

*

En septembre 1962, alors que je viens d'obtenir mon doctorat en philosophie, une demande inattendue m'arrive tout droit du Canada. On m'invite à enseigner la morale à l'université de Toronto. J'accepte avec joie. De janvier à avril 1964, j'éprouve une intense satisfaction à transmettre ma passion aux étudiants. Ma parole est reçue avec un vif intérêt et je m'attache à tous ces jeunes. Je suis le premier surpris du succès de mes cours. Jamais je n'aurais cru avoir le moindre don pour l'enseignement !

Pendant ce temps, à des milliers de kilomètres de là, le père Thomas est devenu peu avant Noël 1963 l'aumônier du Val fleuri, un centre d'accueil créé à Trosly-Breuil, dans l'Oise, par un père de famille pour son fils atteint d'un handicap mental, et d'autres personnes dans la même situation. C'est le docteur Préaut, un psychiatre éminent de la région, qui préside cette structure d'un nouveau genre. Mon cycle de conférences achevé, je retourne en France où je prends le temps de retrouver le père Thomas, plus longuement que lors de notre dernière rencontre. Mais quel choc ! À la faveur de ce séjour au Val, je découvre d'une façon spéciale le monde des personnes avec un handicap mental. Leur présence m'attire avec force, et je comprends très vite que c'est réciproque. Ces personnes, dont j'ignore encore tout, me choisissent d'instinct. J'entends encore leur cri avide de relation : « Veux-tu devenir notre ami ? » C'est ce cri qui m'amènera à vivre en communauté avec elles.

*

Chapitre 10

LA PETITE VOIX INTÉRIEURE, MON FIL D'ARIANE

Peu à peu, je découvre, en m'intéressant aux travaux de Vatican II, tout ce que les Pères conciliaires ont écrit sur la petite voix intérieure qui habite le cœur de tout être humain : « La conscience est le centre le plus secret de l'homme, le sanctuaire où il est seul avec Dieu et où sa voix se fait entendre » (*Gaudium et spes*). Ce qui constitue notre dignité, c'est ce sanctuaire sacré où Dieu nous parle pour nous indiquer le chemin du bien, et pour nous détourner ainsi du mal. Cette petite voix ne nous assène pas d'ordres péremptoires. Elle procède avant tout d'une intuition, d'une attirance vers le Dieu d'amour que l'on peut suivre ou refuser en toute liberté. Elle veut nous entraîner vers ce qui est juste et vrai, vers ce qui est de l'ordre de l'amour de l'Évangile. Etty Hillesum le dit avec des mots d'une grande justesse : « Si j'écoute en toute sincérité ma voix intérieure, je saurai bien le moment venu si un homme m'est envoyé par Dieu […] et cette voix intérieure doit être mon seul fil d'Ariane. » Dans une perspective chrétienne, ce fin murmure fait écho au don du paraclet, c'est-à-dire l'Esprit saint. Et je comprends peu à peu que cette petite voix intime a guidé mes choix les plus décisifs, depuis mon entrée dans la marine de guerre jusqu'à la création de l'Arche.

J'irais même jusqu'à dire qu'elle est mon chemin de liberté. La liberté, c'est apprendre à écouter la voix intérieure, souvent dans une grande solitude. C'est apprendre à renoncer aux autres voix qui s'opposent à elle : le désir de reconnaissance, la volonté de se conformer aux normes et aux apparences, l'appât du pouvoir, l'obsession de la victoire, la paresse, les peurs... Tout ce qui fortifie mon ego. Pour cultiver cette petite voix, il faut beaucoup d'écoute, de silence et un travail sur soi. Gandhi, dans ses œuvres complètes, souligne la nécessité d'une « discipline sérieuse » pour être capable de l'entendre, et de reconnaître son authenticité. Cela vaut pour les grands choix d'une vie. Mais c'est également vrai dans le quotidien : oser parler ouvertement, même quand cela va à contre-courant et qu'on risque d'être rejeté ou considéré comme un intrus.

*

Chapitre 11

I HAD FOUND A HOME !

L'heure est venue.

Ma petite voix m'a indiqué le chemin à prendre. Au début, ce n'était qu'un murmure. Mais ce murmure se fait insistant. Et bientôt c'est une certitude qui emporte tout sur son passage. Je dois demeurer à Trosly.

Avec elle naît une idée un peu folle : et si je créais une petite communauté de type familial, avec quelques personnes touchées par un handicap mental ? Le père Thomas pourrait nous accompagner, lui qui m'a fait comprendre, à la lumière de sa propre expérience de la souffrance, que les pauvres et les exclus avaient des cœurs plus ouverts à la grâce. Le docteur Préaut m'y encourage avec ardeur.

Dans les années 1960, ces personnes étaient fréquemment enfermées dans des asiles ou des hôpitaux psychiatriques. Les plus chanceuses restaient, parfois au prix de grandes difficultés, au sein de leurs familles. Mon rêve de « vivre » avec les pauvres au nom de Jésus — et pas seulement de leur « faire du bien » — semble pouvoir se réaliser en ce coin de Picardie où tout me porte. Mon sort, je le pressens, sera lié à ces êtres si souvent opprimés.

Nous devons nous souvenir que beaucoup, aujourd'hui encore, voient les personnes avec un handicap mental comme une horreur à éliminer et une honte pour les familles. Déjà dans l'Évangile, les disciples, en présence d'un aveugle de naissance, interrogent Jésus. Est-ce à cause de ses péchés ou ceux de ses parents que cet homme est né avec un handicap (Jean 9) ? Jésus répond qu'il n'est nullement question de péché. Si cet homme est né ainsi, c'est pour que l'œuvre de Dieu puisse se réaliser. Dans nos sociétés opulentes, nous cherchons souvent à nous débarrasser des plus fragiles, et même à les tuer avant la naissance. Pour moi, vivre avec les personnes avec un handicap présente alors un sens nouveau : je découvre progressivement que ces situations, souvent considérées comme un mal horrible, ouvrent un chemin vers Dieu.

Désireux de mieux comprendre ce qu'est le handicap, je vais visiter une institution située à Saint-Jean-les-Deux-Jumeaux, dans l'Est francilien. Quelle tristesse ! Initialement conçu pour une quarantaine de patients, le centre en accueille péniblement le double. Quatre-vingts hommes, atteints de déficiences intellectuelles, s'y entassent. Je découvre des êtres psychologiquement malmenés, même si la générosité du personnel n'est pas en cause. Mes sentiments oscillent entre horreur et crainte. Les résidents évoluent dans un climat de violence et d'ennui terrible. Cette vision me bouleverse. Et pourtant, je me sens mystérieusement confirmé dans mon appel à demeurer auprès des plus fragiles, à faire corps avec leur immense pauvreté humaine. C'est à Saint-Jean que je me lie d'amitié avec deux résidents,

Raphaël Simi et Philippe Seux, qui sont à la source de l'Arche. Le premier, âgé de 36 ans, a contracté une méningite infantile qui lui a fait perdre la parole, fragilisant son corps. Le second, 22 ans, a subi une encéphalite virale ayant entraîné la paralysie d'un bras et d'une jambe. À la différence de Raphaël, il peut s'exprimer avec aisance. L'un et l'autre ont perdu leurs parents. L'institution étant sur la sellette pour cause de non-respect des normes d'accueil, je propose à Raphaël et Philippe de venir habiter avec moi, en accord avec leur directrice. Ce même été, j'ai acquis grâce à l'aide de quelques amis une maisonnette délabrée, dans le village de Trosly, non loin du Val fleuri et du père Thomas. Il n'y a ni toilettes ni salle de bains. Il a fallu acheter d'occasion tout le nécessaire : des lits, des meubles, l'électroménager… Jacqueline, la secrétaire du père Thomas, m'a aidé à réaliser ces achats et à faire de la petite maison, pauvre et simple qu'elle était, un lieu agréable et harmonieux. De son côté, le docteur Préaut a entrepris des démarches administratives afin que ce projet de petite communauté soit reconnu comme une unité de placement familial dépendant du Val fleuri. Et voilà comment nous nous installons, Raphaël, Philippe et moi-même, secondés pendant les quinze premiers jours par un ami du père Thomas. Plusieurs m'ont rejoint, Henri, le 22 août, et un peu plus tard, Louis.

Inédite, ma vie à Trosly l'est à plus d'un titre. Où peut-elle bien me conduire ? Pas la moindre idée. Mais pour la première fois, *I had found a home*[1] ! Ce lieu que Dieu voulait me faire découvrir, celui vers lequel je tendais depuis tant d'années, le

---

1. « J'ai trouvé mon chez moi ! »

voici sous mes yeux. Depuis mon départ de la marine en 1950, ma vie n'avait été qu'une perpétuelle attente. À Trosly, auprès de Raphaël et de Philippe, et de tous ceux qui viendraient par la suite, j'ai le sentiment d'avoir trouvé ma place.

C'est ainsi que naît, sans bruit, l'Arche. Dans la pauvreté et la simplicité. J'ai renoncé à une carrière universitaire au Canada, comme j'avais renoncé à mes galons d'officier de marine. Et je suis proche du père Thomas. Loin des amphithéâtres studieux, je me laisse façonner par la simplicité d'une vie communautaire, auprès de personnes humiliées et rejetées. La joie que je découvre dépasse tout ce que j'avais pu imaginer. Et c'est, encore une fois, un surcroît de liberté qui m'est donné.

*

Chapitre 12

Un signe de l'Alliance

L'Arche… Jacqueline m'a aidé à trouver ce nom lorsqu'il a fallu baptiser notre communauté naissante. Une Arche, à l'image de celle de Noé, vouée à accueillir toutes sortes de personnes fragiles. Une Arche qui sera « le signe de l'Alliance que j'instituerai entre moi et vous et tous les êtres vivants pour les générations à venir » (Genèse 9,12). Cette Parole de Dieu incarne avec justesse la joie que nous éprouvons à vivre ensemble. Raphaël et Philippe semblent si heureux d'avoir quitté l'institution, son climat de violence. Souvent, le matin, nous nous rendons en ville pour effectuer nos emplettes. De retour à la maison, nous nous retroussons les manches en cuisine. Puis nous nous attablons. Le repas constitue le point d'orgue de notre vie commune. Et, j'ose le dire, un moment de béatitude. Jésus disait : « Quand vous donnez un déjeuner ou un dîner, ne conviez pas vos amis, ni vos frères, ni vos parents, ni de riches voisins de peur qu'eux aussi ne vous invitent à leur tour, et qu'on ne vous rende la pareille. Mais lorsque vous donnez un festin, invitez des pauvres, des estropiés, des boiteux, des aveugles ; heureux

serez-vous alors de ce qu'ils n'ont pas de quoi vous le rendre ! »
(Luc 14,12-14).

À Trosly, nous goûtons aux joies de l'Évangile comme nous y
invite aujourd'hui le pape François. Le cœur de notre quotidien
gravite autour de la tablée. Ah, les repas ! De purs moments de
joie. Nous rions à gorge déployée. Nous laissons libre cours à
notre espièglerie, prompts au jeu, à l'amusement. Les personnes
avec un handicap mental n'ont certes pas les moyens de développer leur intelligence rationnelle. Elles disposent en revanche
d'un cœur assoiffé de rencontre. À défaut de grandes conversations savantes, nous passons notre temps à échanger, à blaguer
et à rire. Ces moments sont des temps de fête. Toutes désirent
trouver le bonheur. Ni plus ni moins. Ici, elles se savent accep-
tées et aimées avec leurs faiblesses et leurs qualités, libres d'être
elles-mêmes et de se réjouir de la vie. Et moi, je me laisse entraîner. Le matin, dès que je le peux, je prie seul avec Jésus. Après
le repas du soir, nous prenons l'habitude de prier le chapelet
ensemble. Les jours passent, heureux.

Jusqu'alors, j'avais mené une existence plutôt austère, tant
au sein de la marine qu'au gré de mes séjours monastiques, ou
de mon cursus philosophique. J'imagine que j'ai pu renvoyer
l'image d'un homme sérieux, introverti. Si j'osais, j'irais jusqu'à
dire que c'est à l'Arche que j'ai appris à vivre des temps de fête !
Certes, lorsque je m'attable avec mes compagnons, je fais figure
de référent, c'est moi l'élément responsable. Mais je ne dédaigne
pas non plus le rôle du clown, du pitre. Ici, mon cœur profond s'est comme révélé. Le premier temps de la communauté
est marqué par cette joie contagieuse et bruyante, qui attire de
plus en plus de monde autour de notre aventure.

Tous ces moments font remonter l'enfant enfoui en moi. Celui qui aime rire et plaisanter, se réjouit des petites choses, ose commettre des bêtises. Des barrières de gravité s'effondrent grâce à mes nouveaux amis. Une communion des cœurs, dans une liberté nouvelle, nous est révélée. Nous vivons ce qui constitue encore aujourd'hui le fondement même de l'Arche : la célébration et la joie. J'ose dire que nous goûtons la joie et la béatitude du royaume de Dieu promise par Jésus. « Heureux vous les pauvres, car le royaume de Dieu est à vous » (Luc 6,20 et Matthieu 5,3).

*

Chapitre 13

FORCE ET PERSÉVÉRANCE

Mars 1965. Le docteur Préaut me demande d'assumer au pied levé la responsabilité du Val fleuri, ce centre dont le père Thomas était l'aumônier, à trois cents mètres de notre petite communauté. La quasi-totalité du personnel a donné sa démission en raison de tensions avec le conseil d'administration. Un désaccord lié aux salaires. Si j'ai pu me sentir en symbiose avec l'échelle familiale de notre petite Arche, ce qui m'attend au Val fleuri s'annonce sans commune mesure. Plus de trente hommes avec un handicap mental y séjournent. Me voilà à la tête d'une institution régie selon des normes strictes — salaires, horaires, règlement... Mes connaissances administratives, elles, sont plus que lacunaires. Je me sens perdu, très pauvre devant ce défi. D'autant que les résidents se révèlent imprévisibles, enclins à basculer à chaque instant dans la violence. Les carreaux brisés sont monnaie courante. À bien des égards, c'est un lieu de chaos. Que faire ? Le père Thomas m'a encouragé à accepter cette charge et m'a envoyé quelqu'un pour m'épauler sur le plan administratif. J'y ai consenti avec de vives craintes.

Sans doute fallait-il que j'éprouve cet autre aspect de la vie avec les personnes touchées par un handicap : je veux parler d'une forme de lutte, qui mobilise toutes mes forces, ma persévérance comme mon espérance. Pas question ici d'une paisible vie de prière. Encore moins de véritables rencontres. Heureusement, je dîne chaque soir dans la petite Arche avec Raphaël, Philippe et d'autres. C'est bon pour notre communauté et nécessaire pour moi. Au Val Fleury, je bénéficie du soutien d'un psychiatre reconnu, le docteur Léone Richet, de l'hôpital psychiatrique de Clermont, dans l'Oise. Ce dernier m'accompagne sans relâche. Ses connaissances médicales sont d'un secours précieux. Autant ma première rencontre avec le handicap au sein de l'Arche m'avait laissé un sentiment de joie et de vitalité, autant l'expérience du Val m'aura confronté à la difficulté, à la peur et aux violences. À travers ces heurts, j'apprends beaucoup sur la souffrance humaine, sur la colère des êtres touchés par de grandes fragilités. Tant d'entre eux ont été placés en milieu psychiatrique par leurs familles, vivant cette situation comme un abandon.

Après cinq bonnes années, et grâce à l'appui constant d'assistants convaincus de la valeur et de la beauté des personnes avec un handicap, l'ordre et la paix règnent enfin au Val fleuri. Des volontaires français et canadiens se succèdent pour nous prêter main-forte. Avec eux s'allège le poids du quotidien. Ce temps au Val est moins celui d'une libération et de la paix que celui d'une prise de conscience de mes propres faiblesses, mais aussi, paradoxalement, de ma liberté intérieure. Lorsque je suis arrivé, je me sentais incapable de faire face. Ces difficultés, il a pourtant fallu les surmonter. D'où me vient cette force ? De

Jésus, je ne peux pas dire autre chose. Je ne suis pas seul car je sais qu'on prie pour moi.

Je comprends alors que l'Arche ne peut être exclusivement un lieu de joie, comme elle ne peut se réduire à la violence, aux difficultés. L'Arche, c'est d'abord un lieu où les personnes diminuées ont soif d'une véritable rencontre. D'un cœur à cœur, dirais-je même. À mon tour, je sens naître un désir d'aller au-devant de l'autre. J'étais venu ici pour vivre l'Évangile, résolu à lutter pacifiquement contre les injustices à cause de Jésus. Mais je réalise que Raphaël et Philippe, comme leurs homologues du Val fleuri, sont animés d'un immense désir de rencontre. Ils ont besoin d'amis, pas seulement de professionnels. La plupart d'entre eux ont été humiliés, mis de côté. On leur déniait même le droit de vivre en famille. Eux ont soif de relation. Des relations qui les sécurisent et leur font découvrir qu'ils sont « aimables », que leur humanité, bien que blessée, a du prix à nos yeux.

*

Chapitre 14

LA LIBERTÉ DE FONDATEUR

Après la fusion de nos conseils d'administration, la petite Arche finit par absorber le Val fleuri. Peu à peu, nous achetons de nouvelles maisons dans le village, afin d'accueillir d'autres personnes enfermées dans des milieux psychiatriques ou des institutions spécialisées. C'est Jacqueline, artiste et peintre, mais surtout une femme éminemment pratique, qui se charge des aménagements et des décorations de ces maisons. Ainsi, l'Arche grandit. Au fond de moi, je sens croître ce désir, presque passionnel, de répondre au cri de tant et tant de personnes recluses, en proie aux humiliations et aux souffrances. Des amis viennent de France, et beaucoup du Canada, pour fortifier notre petite communauté défaillante à bien des égards, mais rayonnante de joie. L'idée de vivre en communauté avec les pauvres, au nom de la foi, semble attirer de nombreux jeunes animés par l'élan du concile Vatican II, qui s'est achevé en 1965.

Dans de nombreux pays, durant ces années 1960 et 1970, des gens de tous âges ont soif de vivre l'idéal communautaire, libérés du poids d'une autorité lourde. D'autres cherchent à travers ces nouvelles formes de vie une expression politique, qui éclatera avec les manifestations étudiantes à Paris en mai 1968. Un immense besoin de libération se faisait entendre. Des essais germaient ici et là, même si ces libérations n'allaient pas toutes dans le bon sens. Je devine que j'étais pris dans ce mouvement novateur. C'était un temps favorable pour commencer une nouvelle forme de communauté. Mais à l'Arche, les personnes avec un handicap nous ont donné la bonne orientation.

Un couple de Canadiens anglicans illustre bien l'éclosion de ces années : bouleversés par leur séjour à Trosly, tous deux regagnent Toronto pour y fonder une communauté anglicane et œcuménique de l'Arche, dans une maison offerte par des religieuses, à la suite d'une retraite que j'ai prêchée en 1968. Peu après, c'est un disciple du Mahatma Gandhi qui m'écrit pour me demander de lancer une maison en Inde. J'accepte de m'y rendre, pour évaluer les chances d'un tel projet. Et miracle, en un an à peine, une Arche interreligieuse du nom d'Asha Niketan voit le jour à Bangalore, dans le sud du pays, grâce à l'intelligence tenace de celle qui en prend les rênes. D'autres communautés naissent en Haïti, en Côte d'Ivoire, au Burkina Faso, au Honduras, en Angleterre, en Belgique et ailleurs, souvent après des retraites consacrées à Jésus et aux pauvres, que l'on m'invite à donner un peu partout. Quelle époque ! L'inattendu m'entraîne ici et là, étonnement sans cesse renouvelé. Je me sens porté par le souffle de l'Esprit et par la prière de beaucoup d'amis, et surtout des sœurs du Carmel. Dieu, à travers l'Arche, a voulu faire connaître le message des personnes avec un handicap au sein des Églises et dans les pays où nous nous implantons. Elles ont une place privilégiée dans le corps du Christ, l'Église, et dans la grande famille humaine. Je passe beaucoup de temps dans les avions et les aéroports. Des hommes et des femmes nous rejoignent, s'engagent. Des maisons sont ouvertes. L'argent tombe du ciel… Oui, c'est un moment déconcertant. Comme si Dieu m'avait choisi malgré moi, avec mes fragilités, pour conduire la barque. Je me sens de plus en plus épanoui, mais aussi épuisé par cette cadence. Cela me vaut, en 1976, deux mois d'alitement à l'hôpital Cochin, à Paris. En dépit de ce revers, je suis heureux de voir que l'œuvre se répand dans le monde. La joie que je perçois chez les personnes avec un handicap m'insuffle une grande force, un élan irrépressible. Et il y aurait tant à dire aussi sur ces hommes et ces femmes, assistants au sein des foyers ou membres de notre conseil international, qui s'engagent avec autant de foi que de sagesse et de générosité. De solides amitiés naissent. Le mode de gouvernance de l'Arche, volontiers collaboratif, m'impose d'être attentif aux avis des uns et des autres, aux événements communautaires. Il me semble que Dieu se sert de chaque détail pour nous indiquer le chemin à emprunter. J'apprends peu à peu, à mes dépens, ce que diriger veut dire : servir la vie en s'effaçant. Ensemble, nous prenons conscience que l'Arche est vraiment une œuvre de Dieu, et qu'elle ne nous appartient pas. Tout cela nous dépasse. Il s'agit d'écouter la réalité, de suivre attentivement et humblement les pistes qui s'ouvrent devant nous. C'est une expérience de vie, et non une pensée préfabriquée, qui guide nos pas.

La parenthèse de l'hôpital Cochin m'a fait réaliser que si j'œuvre pour le bien des autres, il convient aussi de prendre soin de moi. Mon corps malade exprime ce cri : Stop ! Occupe-toi de moi ! Le « *burnout* » est sans doute la maladie des généreux.

Ils font beaucoup pour les autres, ils donnent et ils donnent, mais ils ne savent pas toujours recevoir. Le généreux doit apprendre à s'arrêter pour accueillir la joie de la rencontre et la communion avec l'autre. Accepter d'être transformé par celui qu'il soigne. Comme j'en avais besoin ! L'hôpital m'a aidé à devenir plus libre. Trop faire m'avait éloigné de ma mission. Et aussi d'une vie plus intime avec Jésus, et peut-être d'une attention plus grande à la petite voix intérieure.

*

Chapitre 15

UNE SPIRITUALITÉ OUVERTE

« Suivre la vie » a conduit l'Arche sur des terrains nouveaux où nous nous sentions parfois seuls. À cet égard, nous n'avons pas cherché à être œcuméniques ou interreligieux. Nous le sommes devenus par le mouvement de la vie. La première communauté à Trosly, avec la présence du père Thomas, était enracinée dans l'Église catholique. La deuxième communauté est née en terre anglicane, à Toronto. La troisième communauté est née près de Cognac, dans une région de tradition catholique. La quatrième est née à Bangalore, au contact de l'hindouisme, du sikhisme et de l'islam. Nos membres reflétaient cette diversité. Assez vite, des difficultés sont apparues au sein des foyers et aussi parfois lors des rencontres internationales : comment aider chacun à demeurer fidèle à sa propre spiritualité, à sa propre religion, sans heurter ceux qui croient différemment ? Comment prier ensemble ? Au début, l'Arche comptait une large part de catholiques. Et nous pouvions avoir tendance à oublier que tous ne partageaient pas notre foi. L'Arche était-elle une œuvre catholique, ouverte à d'autres traditions, ou une communauté intrinsèquement œcuménique et interreligieuse ? Grande question ! En Inde comme au Canada, des retraites furent très tôt organisées par les communautés. Comment laisser chacun trouver sa place, en étant lui-même, hors de tout prosélytisme ? Ce processus a été long. D'autres questions ont émergé au fil du temps : l'hospitalité eucharistique était-elle possible entre anglicans et catholiques au sein de l'Arche ? Comment éviter que des personnes avec un handicap ne souffrent de l'impossibilité de communier ensemble ? Accueillir les besoins des uns et des autres est un travail de longue haleine. Nous avons appris, certes avec nos erreurs, à vivre ce dialogue œcuménique et interreligieux de façon harmonieuse. Encourager chacun à approfondir sa propre religion, à vivre l'essentiel de sa foi : chercher Dieu en aimant profondément ses frères et ses sœurs. Ce faisant, nous avons toujours été vigilants face à la tentation du syncrétisme. Bien sûr, il y a un risque réel d'émousser la spiritualité propre aux uns et aux autres au profit de valeurs fraternelles diffuses et consensuelles. Cette question ne sera jamais réglée. Elle relève avant tout de l'intime. Être à l'Arche, vivre avec les personnes les plus faibles et les plus pauvres implique que chacun trouve une façon de grandir dans l'amour, au-delà des appartenances confessionnelles, fidèle à sa propre foi. Cela n'a pas empêché certaines de nos communautés de se sentir isolées. Au Bangladesh, pays à majorité musulmane, les imams refusent encore d'accepter l'Arche avec son identité. De son côté, l'Église catholique a du mal à la considérer comme importante. Souvent, nos communautés ont le sentiment d'être seules de leur espèce. Mais nous savons que Dieu aime chaque personne et appelle chacun à grandir dans l'amour. Dieu est caché dans le cœur des plus petits, des plus souffrants, des plus humiliés. Peu à peu, l'Arche devient signe de cet amour. L'ouverture commune, dans la fidélité aux racines de chacun, n'est pas toujours facile à vivre.

L'œcuménisme ne fait pas de bruit. Nous ne sommes pas seuls à vivre cette aventure. Comment oublier frère Roger Schutz, qui nous a brutalement quittés en 2005 ? J'ai une affection particulière pour les frères de Taizé. Cette communauté située en Saône-et-Loire est une lueur d'espoir pour notre monde. Les liens entre l'Arche et Taizé ont des racines profondes. Ce sont les frères de Taizé, notamment, qui ont accompagné la mise en route de notre communauté au Bangladesh.

Les liens de l'Arche avec l'Église anglicane sont particulièrement forts aussi. En 1998, j'ai été invité à m'exprimer devant huit cents évêques lors de la conférence de Lambeth, en Angleterre. Plus récemment, Mgr Justin Welby, à la tête de la Communion anglicane, m'a convié à une rencontre avec les primats de l'Église anglicane. Au cœur de la dernière eucharistie, nous nous sommes mutuellement lavé les pieds, dans un profond silence.

Au-delà du monde chrétien, nos communautés entrent en dialogue avec des croyants du monde entier. En Inde, nos liens avec l'hindouisme se sont affermis grâce au jésuite Pierre Ceyrac (1914-2012), un homme admirable, entièrement voué aux pauvres et aux exclus. Son exemple continue de nous inspirer. Voici ce que m'écrit le docteur Reddy, de religion hindoue, ancien président de l'association Asha Niketan, l'Arche en Inde, à ce sujet : « Oui, en vérité, Dieu est notre demeure. Demeurer en Dieu et laisser Dieu s'éveiller en nous devrait être le but de toute notre vie. Ceci devrait être notre aspiration. Et la seule façon de la réaliser réside dans l'abandon total au divin. De nous donner de tout notre être. »

L'actuel coordinateur international de l'Arche se nomme Stephan Posner. Je l'estime beaucoup. Notre mission, cet homme de confession juive l'a chevillée au cœur. Malgré les murs qui se dressent, notre communauté est appelée à poursuivre un chemin d'unité et de fraternité entre tous les êtres humains. À Beyrouth, Nayla Tabbara et Fadi Daou ont eu l'audace de fonder un centre interreligieux inédit dans le contexte brûlant du Moyen-Orient. La première est théologienne musulmane sunnite, le second, un prêtre maronite. Tous deux sont épris de paix et de réconciliation. Nous leur devons un ouvrage commun sur l'hospitalité divine qui m'a bouleversé[1]. À notre demande, Nayla nous a beaucoup aidés à faire découvrir la spiritualité de l'Arche aux musulmans de nos communautés.

Il y a peu, quelqu'un m'a posé cette question : « Toi qui es catholique, comment peux-tu vivre en communion avec des juifs et des musulmans ? » C'est à cause de mon amour de Jésus : il est mon ami et mon modèle. Il aime chaque personne, quelles que soient sa culture, sa religion, ses capacités ou ses incapacités. N'y a-t-il pas, parfois, un danger que l'Église catholique cache Jésus, par son insistance sur des lois, au détriment d'une vraie rencontre avec lui ?

*

---

1. *L'hospitalité divine : L'autre dans le dialogue des théologies chrétienne et musulmane*, « Colloquium salutis. Études en sciences et théologie des religions », Éd. LIT, 2014.

Chapitre 16

UN ÉLECTRON LIBRE

La croissance de l'Arche ne s'est pas faite sans lutte et incompréhensions. J'ai commencé seul. Certes, il y avait le père Thomas comme prêtre, mais j'étais seul, avec Raphaël et Philippe. Je n'ai rien demandé à l'évêque de Beauvais. Je l'ai informé de notre présence et de notre vision chrétienne, et il en était heureux. Puis l'Arche a commencé à s'étendre sur des terres œcuméniques et interreligieuses. Pour moi, cela venait de l'Esprit saint. Nous avancions ensemble dans une grande liberté, sans demander de permission à quiconque, mais informant les évêques des lieux où nous nous implantions. L'important était d'entendre le cri des pauvres et de répondre le mieux possible à ce cri. Peu nous importait la religion de celui qui criait. C'était un cri profondément humain, éveillant le cri de mon propre cœur, et celui de beaucoup d'autres hommes et femmes.

En même temps, je me sentais ancré dans la foi catholique, lié à l'Église par toutes les fibres de mon être. Au bout d'un moment, avec la croissance de l'Arche sur plusieurs continents, il m'a semblé naturel de rencontrer des représentants du Conseil pontifical pour les laïcs, à Rome. Nous sommes en 1976 et la réception s'avère assez froide :

« L'Arche est-elle catholique ?

– Oui et non. La plupart d'entre nous sont catholiques, mais nous sommes aussi protestants, anglicans, hindous, musulmans…

– Alors ce n'est plus la peine de discuter avec nous. »

J'ai senti lors de cette entrevue une certaine rigidité de l'Église à notre égard. L'Arche n'entrait pas dans une case bien établie par le droit canonique.

Plus tard, un nouveau président a été nommé à la tête du Conseil pontifical pour les laïcs, le cardinal Eduardo Francisco Pironio. Celui-ci m'a accueilli avec une immense bonté. « Votre œuvre vient de l'Esprit saint. Surtout, continuez ! » Par la suite, il est devenu un précieux conseiller de l'Arche au Vatican. Il m'a confirmé et il a confirmé l'Arche, son chemin singulier. Aujourd'hui encore, je me pose parfois la question : n'y a-t-il pas un danger que les textes législatifs, parfois nécessaires, étouffent l'œuvre de l'Esprit saint et le cri des pauvres ?

Le fait de ne pas entrer dans une case préexistante et de me sentir accueilli par le cardinal Pironio m'a aidé à accepter ce statut d'électron libre, à la différence d'autres responsables de communautés qui, au bout d'un moment, finissent bridés par des statuts trop contraignants. C'est le cardinal Stanisław Ryłko, successeur du cardinal Pironio à la tête du Conseil pontifical pour les laïcs, qui a suggéré que nous proposions le nom d'un évêque proche de l'Arche pour devenir l'évêque référent des catholiques de l'Arche auprès du Vatican. À notre demande, Mgr Pierre d'Ornellas a accepté cette mission. Peu à peu, d'autres amitiés se sont tissées avec certains évêques qui ont accepté d'accompagner notre démarche œcuménique et interreligieuse. Au-delà de toute mission institutionnelle, certains se sentent proches de nous par le cœur. C'est le cas de Mgr Gérard Daucourt, évêque émérite de Nanterre, qui vient souvent nous rendre visite et que nous surnommons affectueusement… notre « Arche-évêque » !

Mais je vous avoue qu'en dehors de ces quelques clercs proches de nos communautés, notamment les prêtres de l'Arche, peu de personnes, dans l'Église, ont compris notre charisme. Beaucoup applaudissent : « Vous faites une belle œuvre en acceptant des pauvres. » Il ne s'agit pas pour moi d'accomplir une belle œuvre, mais de montrer un chemin de vie, un chemin vers Dieu. Les personnes avec un handicap mental ne sont pas de pauvres petits dont il faut s'occuper. Elles sont des messagers de Dieu qui nous rapprochent de Jésus. Elles sont un chemin vers Dieu. Si l'on entre en relation avec elles, elles nous transforment et nous conduisent vers Dieu. Le cardinal Ryłko disait à ce propos : l'Arche a fait une révolution copernicienne. Ajoutons que très peu de théologiens ont saisi cette révolution. Les premiers furent le doyen de la faculté de théologie de Cambridge, l'anglican David Ford, et Francis Young, pasteur méthodiste, vice-président de l'université de Birmingham. David Ford nous a dit une parole que je n'ai jamais oubliée : « Vous avez une bonne spiritualité. Mais une bonne spiritualité a besoin d'une bonne théologie. » Et il nous a aidés à creuser cette réflexion. D'autres, comme le père Christian Salenson, directeur émérite de l'Institut de sciences et de théologie des religions de Marseille, et le père Étienne Grieu, jésuite au Centre Sèvres à Paris, nous ont permis d'aller encore plus loin afin d'approfondir notre vision théologique et spirituelle.

*

Chapitre 17

L'ÉVANGILE À L'HEURE INDIENNE

Comme nous l'avons dit, l'Arche a vu sa quatrième communauté naître à Bangalore en 1970. Tout est parti d'une lettre d'un Indien engagé dans le monde social. Celui-ci avait entendu parler de notre action et souhaitait nous accueillir en Inde. Mira et Gabrielle, deux membres de notre communauté, sont donc parties en octobre 1969 pour préparer ma venue et mes futures conférences indiennes. Je les ai rejointes en décembre. Sur place, nous avons hérité d'un excellent terrain, non loin de l'hôpital psychiatrique de Bangalore. En septembre 1970, après une série de démarches, l'Arche a pu ouvrir ses portes.

Deux ans plus tard, Gabrielle a suggéré que nous nous rendions à Calcutta, principale ville de l'est de l'Inde, où nous avons fait la connaissance du cardinal Lawrence Picachy. Ce dernier a découvert avec intérêt la mission de l'Arche. Au point de mettre à notre disposition une petite maison diocésaine, qui s'avéra parfaite pour implanter un foyer. C'est alors que j'ai rencontré Mère Teresa, mondialement célèbre pour avoir fondé deux décennies plus tôt les Missionnaires de la charité. Leur charisme :

soulager les souffrances des plus démunis, et surtout des personnes mourantes dans la rue. Notre amitié a été immédiate. Mère Teresa m'a fait comprendre de l'intérieur la réalité indienne, comme ce jour où elle m'a conduit dans un quartier de Calcutta où s'entassaient un million de réfugiés. Tous avaient fui le conflit armé entre le Pakistan et le Bangladesh. J'ai visité avec émotion plusieurs de ses mouroirs. Mère Teresa a accompli une œuvre exceptionnelle en faveur des plus faibles.

Lorsque je vivais à Calcutta, je me rendais chaque jour à la messe au noviciat des sœurs. Mère Teresa était toujours là, enveloppée de silence. Une femme au visage buriné de fatigue, éprise de prière et d'absolu. À l'issue de la célébration, elle m'invitait régulièrement au petit déjeuner. Les sœurs nous cuisinaient des œufs succulents, et Dieu sait qu'il était difficile d'en dénicher à Calcutta ! Ensemble, nous discutions à bâtons rompus. Mère Teresa me partageait ses désirs d'élargissement d'une branche nouvelle de sa communauté aux femmes hindoues : elle avait reçu le feu vert de Rome. Ces femmes entendaient demeurer fidèles à leur propre foi tout en prenant l'habit missionnaire afin d'œuvrer pour les plus pauvres. Mère Teresa m'a demandé de prêcher une retraite pour elles. Hélas, ce projet interreligieux n'a jamais pu aboutir.

Au milieu des années 1980, le cardinal Picachy, qui nous avait accueillis avec entrain, a quitté l'archevêché de Calcutta pour prendre sa retraite. Dans la foulée, son successeur a exigé que l'Arche libère la maison diocésaine, promise entre-temps aux sœurs de Mère Teresa. Les choses se corsaient : trouver une maison conforme à nos besoins dans cette mégapole miséreuse n'était pas mince affaire. Les semaines passaient et nous ne pouvions nous résoudre à plier bagage. Mère Teresa semblait particulièrement fâchée.

« L'Archevêque est très mécontent parce que vous n'avez pas quitté la maison, et vous empêchez nos sœurs de s'y installer !

— Mais *mother*, ai-je répondu, c'est impossible ! On ne trouve pas d'autre maison pour accueillir nos membres lourdement handicapés.

— Écoutez, je vais vous donner un terrain », a-t-elle tranché, au comble de l'exaspération.

C'est ainsi que Mère Teresa a mis à notre disposition une jolie parcelle, dans un quartier calme de Calcutta. Ce terrain en jouxtait un autre, qu'elle destinait à d'anciennes prostituées, en voie de réinsertion après avoir purgé leur peine. Un troisième terrain, mitoyen des deux autres, était pressenti pour accueillir un centre pour des délinquants et des toxicomanes, et je dois dire que cette promiscuité sulfureuse me surprenait beaucoup.

« Vous savez ce qui va se passer... Les délinquants finiront tôt ou tard par sauter le mur pour aller rencontrer les anciennes prostituées !

— Vous les en empêcherez.

— Non, *mother*, ça c'est votre boulot, pas le nôtre ! »

Épilogue de cet échange cocasse : le fameux terrain sera finalement dévolu à des religieux en formation... Ah, Mère Teresa ! Avec son tempérament entier, cette sainte femme m'a énormément marqué. Notre amitié a beaucoup compté pour moi. Elle était et demeure une lumière, entièrement donnée aux gens de la rue et aux plus pauvres, sans distinction culturelle ou religieuse. Son exemple reste brûlant d'actualité pour les jeunes générations. Elle est maintenant sainte Mère Teresa.

L'Inde est un monde où j'ai approché la pauvreté la plus extrême. Des bidonvilles à perte de vue. La maladie, la mort omniprésente. Et au milieu, un peuple débordant de tendresse. De rencontre en rencontre, la richesse de la spiritualité hindoue m'a illuminé. Grâce aux Indiens, j'ai pu goûter la pensée de Gandhi. Quelle figure de sagesse ! Celle d'un homme capable de libérer l'Inde du joug anglais, sans jamais dénigrer la valeur de l'être humain. Gandhi était un frère universel. Il œuvrait pour les intouchables qu'il appelait *harijan*, c'est-à-dire enfants de Dieu. Récusant toute violence, Mahatma Gandhi nous apprend à aimer l'ennemi pour lui laisser une chance de changer intérieurement, en retrouvant le sens des valeurs universelles. Cet homme extraordinaire a introduit la non-violence dans le monde moderne : un chemin indispensable vers la réconciliation et la paix universelle. Elle est, grâce à Mahatma, au cœur même de la pédagogie de l'Arche. Aux États-Unis, Martin Luther King fut l'un de ses disciples les plus marquants, lui qui a permis au peuple noir d'être mieux reconnu par la société américaine.

Toujours en Inde, c'est un autre témoin de l'Évangile qui est devenu un grand ami de l'Arche : le jésuite Pierre Ceyrac. Ce prêtre pour et proche des pauvres nous a beaucoup aidés dans notre implantation locale, particulièrement à Chennai, l'ancienne Madras, dans le sud de l'Inde. Il a également nourri notre vision spirituelle, au contact de l'hindouisme et des réalités indiennes.

J'aimerais clore le récit de cette aventure en rendant hommage au père Andrew Travers-Ball, qui a fondé aux côtés de Mère Teresa la branche masculine des Missionnaires de la charité, en 1963. C'était un homme excessivement doux et bon.

On lui doit une œuvre fantastique, même si des épreuves personnelles l'ont longtemps éloigné de sa mission de fondateur. En pleine croissance de sa communauté, Frère Andrew s'est laissé submerger par la fatigue et le stress. Il a fui ses difficultés dans l'alcool et dans les jeux. Terrible souffrance. Le nouveau responsable de l'Ordre l'a mis à la porte. Cela m'a dévasté car je l'aimais beaucoup, *Brother* Andrew. Je me souviens de ce jour où il m'a entraîné à moto à travers les ruelles cahoteuses de Calcutta pour m'en dévoiler les recoins les plus obscurs et les plus malfamés, là même où s'enracinait sa soif d'engagement. Nous nous sommes perdus de vue lorsqu'il est tombé au fond du gouffre, et je l'ai regretté. Mais peu à peu, il a su reprendre pied. De nouveau, sa vie spirituelle s'est épanouie. Et puis, par hasard, nous nous sommes retrouvés. J'avais face à moi un homme d'une sainteté exceptionnelle, en qui tout respirait la bonté. Quelle leçon de vie spirituelle ! Voilà un homme qui tombe plus bas que terre. Mais il se relève, avec une humilité totale. Les lettres que nous avons échangées portent l'empreinte d'une âme magnifique. Je me sens infiniment chanceux d'avoir croisé la route de *Brother* Andrew.

*

Chapitre 18

LA COMMUNAUTÉ,
LIEU DE GUÉRISON ET DE LIBÉRATION

L'Arche a commencé à trois. Nous vivions ensemble, tout simplement. Puis la communauté a grandi. J'ai énormément appris aux côtés de tous ceux qui nous rejoignaient jour après jour. Après huit ans de solitude, de 1956 à 1964, cette vie avec d'autres élargissait mes horizons. Je découvrais que j'avais besoin d'eux. La vie communautaire a été une libération. Me libérer de tout repli sur moi-même, pour m'ouvrir à la beauté des autres. L'Arche est une nouvelle forme de communauté. Si l'on souhaite abaisser les murs qui séparent les personnes, les groupes et les races, murs qui engendrent la peur et la haine, il faut être ensemble. Une communauté nous sauve d'un individualisme farouche et d'un sentiment d'isolement ; elle donne sécurité et des frères et sœurs qui acceptent de vivre la rencontre. Elle encourage une liberté personnelle et la croissance vers une vraie plénitude humaine. Elle empêche d'être emprisonné dans un groupe sectaire. Une communauté est un lieu où des hommes et des femmes vivent une authentique relation et se rassemblent, œuvrant ensemble en vue d'une mission commune.

La mission, pour l'Arche, c'est le bien-être et la croissance des personnes faibles, qui ont été exclues à cause de difficultés ou d'incapacités intellectuelles. Cette mission ne peut se réaliser qu'au prix d'une vie relationnelle unissant les personnes avec un handicap aux assistants. Le cœur de l'Arche réside dans la rencontre de personnes qui s'engagent à lier leurs destinées — certaines plus capables et plus fortes, mais avec leurs faiblesses et leurs difficultés humaines ; et d'autres plus faibles et moins capables sur le plan intellectuel, mais dotées de réelles capacités de croissance.

Notre monde engendre un lourd sentiment d'isolement chez de nombreuses personnes. Sans doute est-ce la limite d'une culture ambiante qui nous accule au succès individuel. Le succès est perçu comme le seul gage valable de progression et de reconnaissance. Parfois, cette logique conduit certaines personnes fragiles, en mal de sécurité, à rejoindre des groupes fermés, sectaires même, dans lesquels leur liberté se trouve aliénée.

L'Arche, c'est l'inverse. Une vraie communauté, telle que je la définis, est un lieu d'appartenance qui aide chaque personne, chaque membre, à devenir lui-même et plus libre. Elle est un lieu de guérison des cœurs et des esprits, où ce qu'il y a de plus profond en chacun peut s'éveiller et croître selon ses propres dons. Appartenir pour devenir. Nos communautés cherchent à nourrir un lien fécond entre tous les membres, unis dans la même mission. C'est là quelque chose de très beau, et d'insaisissable, sans cesse à construire.

*

Vous l'imaginez, le quotidien de l'Arche obéit aussi à des aspects très prosaïques. Vivre ensemble implique des lois, des horaires, et bien sûr une économie. Trouver des moyens de subsistance, rencontrer ceux qui nous financent. Les personnes avec un handicap changent, vieillissent. Les assistants aussi. Sans compter le travail à organiser dans nos ateliers, le service au sein des foyers. Des médecins, des psychologues nous épaulent. Tout cela pour le bien de chacun et pour que chacun trouve sa place. Mais l'essentiel à mes yeux, c'est la joie d'être ensemble, parce que bien des personnes accueillies vont demeurer à l'Arche toute leur vie. Des assistants s'engagent à l'Arche en répondant à une véritable vocation. Parmi eux, certains sont mariés et d'autres célibataires « pour le Royaume », d'autres encore en recherche. Certains sont salariés et s'engagent pour une longue période, inspirés par une vision d'alliance, une alliance qui relie les personnes les unes aux autres, en Dieu. D'autres iront poursuivre l'aventure dans d'autres communautés. D'autres encore se portent volontaires pour des périodes courtes. Pour tous, le cœur de la communauté réside dans la relation avec les personnes les plus faibles et dans la fête, c'est-à-dire la joie d'être ensemble. Notre présence signifie que des hommes et des femmes de cultures, de religions et de capacités diverses peuvent vivre en communauté une expérience d'unité autour d'une même mission. En dépit des différences. En dépit des capacités et des incapacités de chacun. Dans un monde où tant de murs continuent d'être dressés, où les divisions, les guerres et les haines endurcissent les cœurs, nous voulons être le signe d'une fraternité possible entre les hommes et les femmes de cette terre. La paix n'est pas hors de portée. Évidemment, chacun de nous, personnellement, doit changer.

C'est toute la spiritualité de l'Arche que d'aider chacun à croître dans un amour plus grand et plus authentique, afin que tombent les murs dans nos cœurs, pour que nous acceptions, pas par nécessité mais dans la reconnaissance, les êtres différents, avec leurs tempéraments et leurs cultures. Porter le regard au-delà des incapacités et du tempérament de l'autre. Regarder le cœur. Là est la liberté ! Tous les êtres humains ont au fond d'eux-mêmes un grand désir d'aimer, même si l'ego alourdit parfois cet élan. Bien sûr, les difficultés. Bien sûr, les tensions. Tout cela est humain. L'amour implique le pardon. Grandir humainement, c'est apprendre à pardonner sans cesse, et c'est une lutte de chaque jour. Une lutte dans la douceur, avec soi-même et dans les relations.

*

L'amour — voir l'autre comme profondément respectable et précieux — ne peut grandir qu'avec le temps et à travers des difficultés. N'est-il pas primordial de travailler sur soi pour surmonter les barrières, les peurs, les blocages que nous portons ? Pour nous défaire de nos agacements face à la culture de l'autre, à ses défauts, à son caractère, afin d'œuvrer pour la mission commune. Pour nous libérer de nos soifs centrées sur nous. Cet amour est appelé à croître. Sans cesse. La spiritualité de l'Arche insuffle l'énergie dont nous avons besoin pour aimer chaque jour davantage. Et aimer, pour un chrétien, c'est aimer comme Jésus aime. Jusqu'aux ennemis... Nous avons à découvrir ce chemin de foi. Pour beaucoup, cette spiritualité est nourrie par la prière et l'eucharistie. Pour d'autres, cela peut être dans des moments de méditation et de silence, dans le cadre d'une foi religieuse ou ailleurs. Elle a besoin d'une formation de l'intelligence. Chacun apprend à creuser ce sillon intime et à y percevoir la petite voix intérieure, ce qui va l'aider à grandir dans l'amour. Voilà le mystère de l'Arche. Et peut-être est-ce l'essentiel, au fond, pour tout être humain. Grandir pour aimer intelligemment ceux qui sont différents. Avec toujours plus de tendresse, d'écoute et de vérité. Dans son livre *Comprendre le pape François*, Andrea Riccardi, fondateur de la communauté de Sant'Egidio, affirme qu'une communauté s'enracine dans une histoire reconnue et s'oriente vers l'espérance d'une utopie. Et l'utopie se trouve au-delà de la mission immédiate. Elle se situe dans l'amour et la paix universelle, la joie et le plan de Dieu. Le pape François dit que l'utopie est la conviction inébranlable qu'un autre monde est possible.

Les signes d'une vraie communauté résident dans la joie et la qualité des fêtes qui révèlent l'amour mutuel. Cette joie jaillit de la liberté des membres, conscients du sens et de l'importance de leur mission commune. C'est une utopie qui inspire. Et c'est une espérance qui se fait jour. La communauté implique une qualité de parole entre les membres, des rencontres occasionnelles permettant à chacun de parler et d'être écouté. Pouvoir partager en petit groupe, humblement et en vérité, ce que l'on vit, là où on en est. Pouvoir exprimer ce qui nous unifie intérieurement, et ce qui fait grandir notre amour de la mission commune.

Une communauté qui s'occupe des faibles sera toujours faible car elle implique toujours la venue de nouveaux membres. Souvent sans formation et sans expérience, ceux-ci ont besoin de beaucoup de soutien et d'aide pour comprendre sa vision et sa mission. Comment unifier l'institution et la communauté ? Nos communautés forment des institutions agréées et parfois financées par l'État. Comment allier professionnalisme et amour ? Pour être vraiment compétent, il faut aimer l'autre. La compétence sans amour peut devenir destructrice. L'amour sans compétence peut devenir émotionnel et affectif. Comment être œcuménique et interreligieux et aider chacun à approfondir sa propre foi ? Comment allier foi en la Providence et une bonne planification humaine ? Comment concilier justice et miséricorde ? La réponse à toutes ces questions tient dans un approfondissement de la vision et dans le cœur de chaque membre de la communauté. Croître dans un amour qui unifie chacun de l'intérieur, et l'aider à être source d'unité et de paix dans la communauté et dans la société.

*

Chapitre 19

L'AUTORITÉ DANS L'ÉCOUTE

Une communauté a besoin d'être gouvernée et orientée par un responsable : le serviteur de la communauté et de la mission. Il m'a fallu du temps pour découvrir comment exercer l'autorité dans l'Arche. Au sein de la marine, j'avais appris à obéir sans discussion, et pareillement à commander. À nos débuts à Trosly, nous n'étions qu'une poignée. Raphaël et Philippe goûtaient au bonheur d'avoir quitté l'institution austère où tant d'années ils s'étaient ennuyés. J'éprouvais moi-même une grande joie à leurs côtés. Bien sûr, je restais très attentif à les aider à s'épanouir et à se développer. L'autorité consistait à assumer de mon mieux cette responsabilité : permettre à chacun d'être lui-même avec ses fragilités et ses dons. Ne pas chercher à leur imposer un moule. Dans le foyer, il n'y avait pas de règles proprement dites. Il y avait la vie. L'autorité devait favoriser son surgissement. Mais l'Arche a grandi. Et il a fallu s'assurer que cette vie puisse perdurer. Des personnes de partout nous ont rejoints comme assistants. Une organisation communautaire devenait nécessaire. L'essentiel de l'autorité se réalise dans un lien personnel. Aider chacun à être lui-même, à s'accomplir et assumer des responsabilités, et dirais-je même à être libre, en apprenant à reconnaître et à écouter la petite voix intérieure comme un appel de Dieu.

Noël 1965. Le calme d'une abbaye voisine de Trosly. Une vingtaine d'assistants du Val et du foyer de l'Arche s'y retrouvent à mes côtés. Je suggère que nous formions trois groupes. Avec cette question en partage : qu'est-ce qui, dans notre vie à l'Arche, nous semble positif et qu'est-ce qui laisse à désirer ?

Une heure durant, chacun a pu vider son sac. Puis nous nous sommes retrouvés. J'étais stupéfait — et même un peu choqué, je dois l'admettre — de tout ce qui avait été exprimé au chapitre des défaillances. J'ai réalisé que je me tenais bien trop loin de certaines réalités quotidiennes, et que tout ne tournait pas si rond entre nous. Voilà comment est né notre conseil communautaire. Son but : veiller à la bonne communication interne, mieux définir la responsabilité de chacun, savoir qui est responsable de qui et de quoi... À la suite de ces échanges, nous avons également rédigé une constitution précisant les modalités pratiques de notre vie commune, jusqu'ici très floues. La mission de l'Arche est d'aider les plus faibles et les plus exclus à se relever — c'est l'essentiel — mais aussi chaque assistant. L'exercice de l'autorité réside alors dans une écoute active. C'est une réalité qui s'exerce de bas en haut, et non l'inverse. Tout, dans le mandat et dans l'organisation, doit converger en vue de la guérison, de la croissance et de l'épanouissement de tous les membres, et spécialement des plus faibles. Récemment, nos amis du Secours catholique ont entamé une transformation que je trouve très pertinente. Désormais, il ne s'agit plus de faire des choses pour les personnes en difficulté, mais d'être avec. « Être avec » est guérissant pour tous : ceux qui aident et ceux qui reçoivent. Chacun est transformé. Alors l'autorité s'inverse, à rebours de tous nos schémas habituels, comme Jésus qui s'est mis à genoux devant ses disciples. Deux très belles communautés, fondées récemment par de jeunes adultes, partagent cette même conception de l'autorité, en permettant à des gens de la rue de vivre avec des volontaires : l'Apa (Association pour l'amitié) et l'association Lazare me semblent être des signes prophétiques, comme l'Arche et d'autres associations. Au Canada et ailleurs, se développe le même type de vie partagée pour les personnes âgées, parfois atteintes de la maladie d'Alzheimer, qui renouent avec une vie de type familial. D'autres se tournent vers les toxicomanes, les personnes atteintes de pathologies mentales. Pour ma part, je suis de plus en plus convaincu que ces petites communautés où l'on vit ensemble, en acceptant de se laisser transformer, joueront un rôle de premier ordre dans l'évolution de nos sociétés. N'est-ce pas là un chemin de guérison et de conversion pour chacun de nous ?

*

Chapitre 20

QUAND LA FOI LIBÈRE LES CŒURS

Début 1969, Marie-Hélène Mathieu, une amie à laquelle on doit la création de l'Office chrétien des personnes handicapées, vient me trouver à Trosly. Engagée au service des personnes touchées par un handicap — en particulier mental —, Marie-Hélène déploie des trésors de prévenance pour soutenir leurs familles confrontées à de multiples difficultés. Ce jour-là, Marie-Hélène me relate l'histoire d'un couple qui l'a fortement ébranlée. Camille et Gérard Proffit lui ont raconté le séjour désastreux vécu à Lourdes avec leurs deux enfants, Thaddée et Loïc, tous deux atteints de déficiences mentales. Dans la cité mariale, nos quatre pèlerins ont essuyé des réactions hostiles de la part du personnel hôtelier. Leur présence était jugée indésirable, ce dont ils furent avisés sans ménagement. Le couple a fini par rebrousser chemin, intimement meurtri.

À cette époque, beaucoup considèrent que les personnes avec un handicap mental n'ont pas leur place dans les pèlerinages. Elles ne sont pas capables, pense-t-on, de vivre une démarche de foi. Leur exubérance risque de perturber les autres pèlerins. Tels nt les préjugés auxquels se sont heurtés Camille et Gérard, avec leurs deux petits. J'écoute le récit de Marie-Hélène, ému par la détresse exprimée par le couple. Que faire ? Nous ne pouvons rester sourds à leur appel. Au fil de la conversation naît cette intuition : et si nous organisions un grand pèlerinage pour les personnes avec un handicap mental, en compagnie de leurs familles et de leurs amis ?

*

Aussitôt, un petit groupe de travail est formé. « Foi et Lumière » voit le jour. Au sein de l'Église, notre détermination suscite de vives réactions d'enthousiasme — mais aussi de défiance. Trois ans de préparation minutieuse sont nécessaires. Le rassemblement a lieu en 1971, à l'occasion des fêtes de Pâques.

Au pied de la grotte de Massabielle, plus de douze mille pèlerins affluent de toutes les régions de France, et d'horizons plus lointains, avec près d'une quinzaine de nationalités représentées. On dénombre quatre mille parents, autant de personnes avec un handicap et autant d'amis. Comment décrire l'atmosphère de cette foule si riche... Les mots me manquent. Aujourd'hui encore, je demeure ébahi par tout ce que nous avons vu et entendu. C'était unique.

*

À Lourdes, rien n'a été laissé au hasard pour que chacun se sente accueilli. Nous n'avons pas hésité à adapter la liturgie à cette assistance inhabituelle. Le dimanche de Pâques, après la vigile et la messe de la Résurrection, nous avons dansé sur l'esplanade du sanctuaire, dans une liesse indescriptible. La fête s'est prolongée dans l'après-midi. Nous avons chanté, improvisé des mimes et toutes sortes de jeux.

Je me souviens du climat de fraternité qui régnait dans toutes ces communautés. Chaque groupe issu d'une même région avait établi ses quartiers dans un hôtel qui lui était réservé. Les couloirs d'ordinaire si feutrés bruissaient d'un enjouement irrésistible. Au hasard des allées, on coudoyait aussi bien des personnes avec un handicap que leurs parents et leurs familles, sans oublier leurs amis, eux-mêmes souvent jeunes et mus par une vitalité débordante. Ce furent, j'en suis témoin, des jours de joie et d'unité. Personne ne s'est senti exclu. Fait étonnant, l'empreinte mariale du lieu n'a nullement entamé l'élan œcuménique de notre initiative : des pèlerins protestants étaient présents parmi nous, avec leurs aumôniers !

Le lundi de Pâques, avant de nous quitter, nous avons décidé de nous rassembler une dernière fois, avec tous les responsables régionaux. « Impossible d'en rester là, nous voulons poursuivre l'aventure », déclarent-ils à l'unisson, saisis comme nous par la force de cette expérience fondatrice. Incapables d'en prédire les lendemains, Marie-Hélène et moi leur répondons simplement : « Continuez à vous retrouver dans votre communauté, et nous verrons bien où l'Esprit saint veut nous mener. » Ainsi est né Foi et Lumière…

*

En 1975, Paul VI accueille un grand pèlerinage international de Foi et Lumière sous le dôme de la basilique Saint-Pierre. « Vous avez une place choisie dans l'Église », nous révèle-t-il, confirmant la vocation spécifique des plus fragiles, des plus délaissés au sein de la famille humaine.

Foi et Lumière compte aujourd'hui environ mille cinq cents communautés réparties dans quatre-vingt-cinq pays. Le mouvement est très développé au Proche-Orient, avec soixante-dix groupes rien qu'en Égypte. En Syrie, nous avons vécu de belles heures, en particulier à Alep, avant que la guerre civile n'entraîne des dizaines de milliers de familles sur les routes de l'exil... En France, trois cents communautés se réunissent activement dans de nombreuses villes. Depuis toutes ces années, l'intuition est restée la même. Nos membres, sans vivre au quotidien sous le même toit, se retrouvent une, deux voire trois fois par mois. Ils participent à des retraites, à des vacances communes, et à bien d'autres activités. S'y côtoient, comme au premier jour, des personnes avec un handicap mental, leurs parents et leurs amis. Tout l'esprit de nos communautés repose sur ce partage de vie, sur cet accueil inconditionnel, dans la joie et la simplicité.

C'est ainsi que Foi et Lumière a fait connaître l'Arche et l'Arche a fait connaître Foi et Lumière. Nos deux formes de communauté se nourrissent d'une même vision spirituelle. Nous découvrons peu à peu que les personnes avec un handicap sont près, tout près de Dieu. Elles ont un cœur grand ouvert et une immense soif de relation. Beaucoup s'épanouissent en reconnaissant Jésus comme un ami intime. Et ce faisant, elles nous révèlent un chemin. À leurs côtés, nous comprenons que Dieu a choisi les fous et les faibles pour confondre les puissants et les intelligents. Nous comprenons que Dieu a choisi les plus méprisés pour confondre ceux qui s'enferment dans leur tête.

*

Chapitre 21

LA COMMUNION AU-DELÀ DES MOTS

À la fin des années 1960, j'ai eu l'occasion de visiter en Suède quelques établissements hébergeant des personnes avec un handicap mental. L'un d'eux accueillait des personnes avec de graves handicaps. Certains ne pouvaient ni parler ni marcher. Pourtant, j'ai été frappé par la vie relationnelle existant entre ces personnes avec de profondes faiblesses et les assistants qui veillaient sur elles. J'ai reçu un véritable choc en découvrant la possibilité d'une relation avec des personnes porteuses de très lourds handicaps. Et l'évidence s'est imposée à moi : je venais d'entrevoir un autre aspect de la vocation de l'Arche. De retour à Trosly, j'ai pu en parler autour de moi. Et petit à petit, un projet s'est mis en route pour créer trois maisons d'accueil spécialisées : une à Trosly et deux à Cuise-la-Motte. J'ai confié la réalisation de ce projet à Odile Ceyrac, sous-directrice de la communauté. Elle avait, de plus, fait un stage chez les adolescents avec de lourds handicaps à l'hôpital psychiatrique de Clermont, dans l'Oise. Elle connaissait par là un certain nombre de jeunes susceptibles de profiter d'un foyer à l'Arche. Tout cela a pris du temps. Nous avons fini par obtenir les agréments nécessaires. Et c'est ainsi que la Forestière a été inaugurée en avril 1978. Je me souviens de ce jour si particulier, du parfum de fête qui flottait dans les rues de Trosly.

Nous avons accueilli Loïc, âgé de 20 ans — celui qui, quelques années plus tôt, avait inspiré la naissance de Foi et Lumière — mais vous lui en auriez donné huit ou dix. Il marchait à peine, et il était incapable d'articuler la moindre parole. Il y avait aussi Éric, aveugle et sourd, privé de l'usage de ses jambes. D'une très grande fragilité psychologique, il était hanté par de profondes angoisses. À leurs côtés fut admise Édith, puis Lucien et Marie-Jo. Malgré son handicap prononcé, celle-ci parvenait à se déplacer en fauteuil roulant. Elle ne s'exprimait qu'en criant beaucoup. Sa violence nous décontenançait : il lui arrivait souvent de se frapper le visage…

Avec les années, nous avons réalisé que la Forestière était un lieu essentiel. Les assistants qui vivaient avec ces personnes lourdement handicapées découvraient ici une joie très particulière. Quand, en 1980, j'ai quitté la direction de la communauté, je suis allé m'établir comme assistant à la Forestière. J'y dormais une fois par semaine, pour veiller sur telle ou telle personne, en proie à une crise d'angoisse ou peinant à trouver le sommeil. J'ai appris à vivre avec chacune. Et je dois dire qu'Éric, en particulier, a été pour moi un maître. Avec les autres membres de l'équipe, nous lui donnions chaque jour le bain. C'était là des moments très importants. De toucher le corps avec respect, avec une extrême délicatesse. Éric avait eu une vie chaotique, placé à l'hôpital psychiatrique à l'âge de 4 ans. Sa maman, qui avait tant souffert à cause de lui, est venue le visiter une fois puis ne s'est jamais plus présentée. Cette femme avait beaucoup de mal à accepter la souffrance de son enfant. Éric couvait une angoisse terrible. Un sentiment sans commune mesure avec la peur. On a peur d'un chien, on a peur d'une allée sombre. Mais si le chien s'en va, si l'allée s'éclaire, on n'a plus peur. L'angoisse, elle, procède d'une souffrance existentielle. Qui suis-je ? M'aime-t-on ? Je me sens perdu. On ne veut pas de moi. Je me sens seul, abandonné. Cette angoisse soulève de vives tempêtes intérieures. Éric m'a profondément marqué, en me plongeant dans cet univers méconnu. Avec lui, le langage n'était d'aucun secours, pas plus que le regard. Il s'agissait, surtout à travers le toucher, d'essayer de le comprendre, avec une attention extrême au langage de son corps. Éric, Loïc, et tous les autres, m'ont beaucoup appris à cet égard. J'ai découvert un autre degré de la relation, notamment à travers le corps. Ce qu'Éric avait besoin d'éprouver, c'est son appartenance à un groupe, à une communauté, à une famille. Il fallait l'aider à briser ses solitudes et ses angoisses, en lui faisant découvrir qu'il était important pour nous. Peu à peu, Éric a compris qu'il était quelqu'un. Il s'est apaisé. Nous avons pu envisager des interventions chirurgicales sur ses jambes. Et il a pu commencer à marcher !

Le soir, après le dîner, nous mettions chacun en pyjama, puis nous partagions un temps de prière. Éric venait s'asseoir sur mes genoux, ou sur ceux d'un autre assistant. Et là, il se reposait. Quelquefois même, il s'endormait. Avec lui comme avec d'autres, j'ai vécu des moments de communion silencieuse. Ce sentiment profond que nous étions là l'un pour l'autre, et qu'à travers cette communion rayonnait une grande joie.

Ceux qui sont sans parole, comme Loïc, Marie-Jo et Éric, nous amènent à un contact encore plus profond à travers leur langage exprimé grâce à leur corps. Il s'agit alors d'être attentif à chacun des gestes, car le corps devient parole.

Une amie assistait récemment au baptême d'un enfant à Paris. Lors de la célébration, le prêtre se montrait particulièrement attentif à quelques personnes avec un handicap, appartenant à la famille du baptisé. Mon amie est allée le trouver pour lui confier combien son attitude envers les plus faibles l'avait touchée. Il lui a répondu : « Vous savez, j'étais à l'Arche il y a vingt ans, et c'est Loïc qui m'a formé, et transformé. » À l'Arche, on ne doit jamais oublier cette mystérieuse mission des plus petits. Ceux qui ont connu Loïc restent à jamais marqués.

C'est à la Forestière que j'ai approfondi le mystère de la communion entre personnes avec leur « dimension corporelle » (*Gaudium et spes*). Silencieuse, cette communion est source de paix. Elle ne possède pas l'autre, elle lui donne liberté. Elle trouve sa source en Dieu — sinon elle peut devenir fusion, possession de l'autre. L'amitié peut impliquer la communion, mais elle est surtout unité à travers la parole et l'échange : on marche ensemble vers un but commun. La fraternité implique un respect profond de l'autre car nous appartenons à la même famille humaine. Ces trois réalités — communion, amitié et fraternité — définissent le sens profond de l'Arche.

À la Forestière, j'ai pris conscience aussi de mes faiblesses dans la relation, de mes difficultés à m'ouvrir aux autres en certaines circonstances. Et de mes propres violences. Lucien, l'un des premiers membres de cette maison spécialisée, avait un très lourd handicap psychique. Il avait été séparé à l'âge de 30 ans de sa mère, elle-même tombée malade. Incapable de vivre seul, Lucien avait été placé dans un hôpital. Ce brusque isolement l'a plongé dans des angoisses terribles. Finalement il a pu être admis à la Forestière. Lucien, souffrant, hurlait, hurlait, et hurlait encore, parfois deux heures d'affilée. La fréquence de ses cris tirait sur l'aigu, et cela m'était difficilement supportable. Très vite, ses hurlements d'angoisse ont éveillé mes propres angoisses. Je me sentais impuissant, dépourvu devant Lucien. Mes angoisses se sont muées en colère, pas seulement contre lui mais aussi contre moi-même, car cette situation avivait en moi des vérités difficiles à accepter. Il suffisait d'un rien, je m'en rendais compte, pour voir cette colère se changer en haine, en violence. Dieu merci, je vis en communauté, et d'autres assistants savaient mieux que moi comment apporter de l'aide à Lucien. Il ne m'était guère facile d'appréhender ce monde rude et anxieux. Pas plus qu'il ne m'était aisé de reconnaître la persistance de germes de violence en moi, et avouons-le, en tout être humain. Vivre à la Forestière pendant cette année 1980-1981 a été un temps important pour moi : mieux me connaître et m'accepter comme je suis, pour cheminer vers une plus grande liberté.

*

Chapitre 22

LA JOIE SE FAIT ÉPREUVE

C'est après avoir assumé le Val que des tensions sont apparues entre le père Thomas et moi, et cela dès 1965. En tant que religieux, il avait son idée sur ce que l'Arche devait être : une communauté catholique autour du pauvre. Il avait du mal avec nos structures et le fait que nous étions une institution financée par l'État. Certes, je me laissais former par sa vision théologique et spirituelle sur les pauvres : c'est à travers les pauvres que nous devons approcher de Jésus et construire l'Église. Cependant, il nous arrivait de vivre des désaccords lors des rencontres du conseil communautaire dont il faisait partie, sur des questions pratiques. Les dissensions se sont accentuées lorsque l'Arche s'est ouverte à une dimension œcuménique et interreligieuse. Puis lorsque la communauté s'est déployée dans un village voisin de Trosly. Même incompréhension, quand nous avons accueilli nos premières femmes avec un handicap mental. Plus encore, le père Thomas n'était pas à l'aise avec notre développement international. Ces tensions ont été dures à accepter pour lui, comme pour moi. Il y avait là comme une confrontation entre un fils et son père spirituel, qu'il me devenait difficile d'écouter. Je n'ai pas su travailler ni résoudre ce conflit, pour découvrir une vérité plus profonde. Je voulais suivre ce que le conseil communautaire décidait, quitte à m'affranchir de la pensée du père Thomas. Bien sûr, je m'efforçais de ne pas laisser ces divergences éclater au grand jour, soucieux de préserver l'Arche et d'œuvrer à l'unité. En dépit de ma souffrance, de mon agressivité, de mes manques de délicatesse envers le père Thomas, cette tension m'a fait grandir. Elle m'a obligé à puiser en moi-même une nouvelle confiance, une nouvelle liberté. Mais cette situation conflictuelle, conjuguée au grand développement de l'Arche, m'exposait à une tentation évidente : succomber à l'orgueil. Si je me suis parfois heurté à cet écueil, ce ne fut jamais volontairement. Il suffit d'un rien pour que nos certitudes, si humaines, trop humaines, n'étouffent l'authenticité de nos élans sous une chape d'ego. L'Arche « réussissait », et la tentation était réelle. J'en étais le premier troublé. Tout comme j'étais troublé par mes tensions récurrentes avec le père Thomas. J'avais l'impression de tant lui devoir. Et malgré tout, je l'admirais. Peut-être étais-je naïf. Mais si l'Arche est née à Trosly, c'est un peu grâce à lui. On venait de loin pour le rencontrer. Des personnes en souffrance, notamment. L'ambivalence de nos rapports me laissait un sentiment de culpabilité : je ne me sentais plus en harmonie avec lui au point de ne plus lui confier ma vie spirituelle, comme je l'avais fait auparavant ; comme si j'entrais en conflit avec une vocation qu'il avait contribué à faire naître, au moins selon ce que j'en avais compris. Cela m'a amené à vivre des moments d'angoisse difficiles à supporter. Comme je l'ai souvent dit, ma relation avec le père Thomas a été une grande joie et aussi une grande épreuve, peut-être une épreuve plus grande sans que je prenne le temps de la relire pour la comprendre. J'étais happé par l'action et le désir de sauvegarder l'unité dans l'Arche.

*

Au soir de ma vie, j'ai appris que des personnes — des femmes — voulaient témoigner de leurs souffrances contre le père Thomas à cause de ses comportements postérieurs à la fondation de l'Arche. À la demande des responsables de l'Arche, l'Église — et c'est heureux — a voulu permettre à toutes les personnes ayant ainsi souffert de pouvoir s'exprimer et d'être écoutées dans le cadre d'une instruction canonique. Leurs témoignages concordants dénonçaient des agissements sexuels sur des femmes majeures, non handicapées, dans le cadre de l'accompagnement spirituel. Ces comportements ont gravement blessé ces personnes et sont douloureux pour l'Arche. Quand il a été porté à ma connaissance les dépositions de ces femmes abusées, j'ai été bouleversé. Ce n'était pas possible. Peu à peu, il m'a fallu accueillir cette réalité douloureuse que j'ai ignorée totalement jusqu'à bien après la mort du père Thomas. Une colère sourde. Puis la tristesse… Et une grande incompréhension : comment est-ce possible ? Le père Thomas avait-il perdu la tête ? Au fond de moi, il y a un rejet sans appel, une condamnation nette de ces actes d'abus rapportés par ces femmes. Mais plus encore, du plus profond de moi est née une compassion profonde pour elles, victimes de ces abus. Pourtant, le père Thomas est l'un des instruments grâce auxquels l'Arche est née à Trosly. Au fond de moi, aujourd'hui, il y a une douloureuse incompréhension, en face de cette difficulté de tenir ensemble ces deux vérités. Mais j'ai fait le deuil du père Thomas. Cela m'a fait grandir en liberté, en passant par cette épreuve à laquelle je ne pouvais pas m'attendre. Dans ce mystère de souffrance que l'Arche porte aujourd'hui, mon attention se tourne vers les personnes qui ont été blessées, et je prie pour elles, pour que chacune d'entre elles puisse retrouver peu à peu la confiance et la paix du cœur. Je prie aussi pour que nos communautés et tous ceux dans l'Arche, aujourd'hui, puissent patiemment panser les blessures de leurs frères et sœurs. Et je prie aussi pour le père Thomas. Qu'ensemble, au pied de la Croix de Jésus, nous puissions tous nous ouvrir à la miséricorde de Dieu. C'est la seule réalité qui m'apporte paix et confiance. L'Arche nous conduit tous à accueillir avec amour ces personnes portant des blessures profondes.

*

Chapitre 23

VIVRE AVEC NOS FAIBLESSES

Pendant des siècles, le handicap était considéré comme une punition divine. Un sentiment de honte, voire de rejet, étreignait de nombreux parents, malgré l'accueil merveilleux et souffrant de tant d'autres. Avec l'Arche et Foi et Lumière, nous découvrons peu à peu que les personnes avec un handicap ont une mission bien particulière au sein de l'Église et dans nos sociétés. À mes débuts, j'imaginais accomplir une œuvre d'Évangile en cherchant à leur faire du bien. Dieu n'est-il pas spécialement proche des plus pauvres ? Saint Paul ne dit-il pas que Dieu a choisi les fous et les faibles, et même les plus méprisés, pour confondre les intellectuels et les puissants ? Avec les années, j'ai évolué en découvrant que ce sont ces personnes qui me font du bien et plus encore me transforment. Pourquoi ? Pour une raison très simple. Leur cri le plus profond naît toujours d'un authentique désir d'entrer en relation, et jamais d'une quête individuelle de succès, d'ascension sociale. Pas plus qu'elles n'aspirent à vaincre, à conquérir. Cela les amène à vivre des relations d'une façon unique. Beaucoup possèdent un cœur d'enfant dans un corps d'adulte. Et ce cœur a soif de nous rencontrer là où en nous se situe l'enfant, là où coule une source au fond de nous. Les personnes avec un handicap ouvrent une brèche dans la conscience de ceux qui accueillent leur cri pour la relation. Leur présence fait descendre peu à peu les barrières de protection que nous avions patiemment érigées pour dissimuler nos vulnérabilités et nos faiblesses, et pour fortifier une identité de pouvoir. Elle conduit à une vraie rencontre, à un cœur à cœur très particulier et libérateur ; une communion dans la joie. Leur liberté d'être « un peu fous », en dehors des normes de conformité sociale, nous incite à devenir nous-mêmes un peu fous, librement. En quittant nos postures de sauveurs, en cessant d'être ceux qui savent, nous découvrons que ces personnes plus faibles nous relèvent, nous humanisent et nous ouvrent à Dieu. Elles guérissent notre instinct de supériorité culturelle. Elles nous font entrer dans ce qu'une existence a de plus essentiel. Il ne s'agit ni de posséder toujours plus, ni d'accomplir de grandes choses. Mais d'aimer et de reconnaître l'autre différent, et plus faible, comme une personne importante, qui a une mission sur la terre. Les plus fragiles actualisent le commandement de Jésus de nous aimer les uns les autres comme lui nous aime. Voilà le cœur du mystère : nous sommes faits pour accueillir le faible pour ce qu'il est, c'est-à-dire un être différent, avec ses forces et ses faiblesses. En chacun, il y a une source de vie, une innocence primale cachée. Accueillir le faible implique que j'accepte peu à peu non seulement mes forces mais aussi mes propres faiblesses physiques, mes fautes, mes erreurs, mes manques d'attention… Elles sont un chemin vers une rencontre vraie avec soi-même et avec l'autre.

J'ai vécu moi-même une vraie transformation en vivant avec des personnes touchées par la grande faiblesse. On les place un peu hâtivement, en raison de leur vulnérabilité, tout en bas de l'échelle sociale. Trop souvent, on cherche même à les supprimer avant leur naissance. Or, elles ont tout à nous apprendre. C'est au contact de leur fragilité que j'ai pu commencer à accueillir la mienne. Ainsi parvenais-je à rejoindre mon cœur profond, sans avoir besoin de me cacher derrière un masque de force ou de bonté. Nous sommes tous nés dans une extrême faiblesse. Nous mourrons tous dans une extrême faiblesse. Toute notre vie, nous avons un corps faible qui, à chaque instant, peut être rattrapé par une maladie ou un accident. Et dans l'histoire de chacun, il y a ces faiblesses morales et spirituelles qui nous entraînent loin de la vérité et d'un amour réel. Les personnes avec un handicap ne disposent pas de grandes facultés de croître intellectuellement, mais elles savent mieux que quiconque réenchanter notre humanité. Apprendre à vivre avec la faiblesse, aussi bien qu'avec la force, renverse nos valeurs, nos certitudes et nos désirs de pouvoir. Et cela constitue, j'ose le dire, un puissant ferment pour relever nos sociétés. Est-ce utopique de vouloir un monde plus fraternel, où je vois la personne faible comme un frère ou une sœur en humanité ? Bien sûr, le chemin est long. En dehors des instants de partage avec les personnes accueillies, j'ai constaté avec tristesse qu'il y avait encore des peurs en moi, et que mon ego continuait de m'égarer, comme si j'avais besoin à certains moments de prouver ma supériorité, mon importance, pour exister.

De la patience. Et de l'humilité. Il n'y a qu'elles pour atténuer nos sursauts d'orgueil.

*

Chapitre 24

LA LIBERTÉ CACHÉE
DANS LES PERSONNES HUMILIÉES

Pauline avait 40 ans. C'était une femme avec un handicap que nous avions accueillie à l'Arche en 1973. Victime d'une encéphalite dans son enfance, elle avait une jambe et un bras paralysés. Épileptique, elle était en proie à des accès de violence qui nous interpellaient, autant qu'ils nous effrayaient. Avec le temps, j'ai fini par réaliser que son attitude découlait des humiliations qu'elle avait subies tout au long de sa vie. On la taxait de débile, d'idiote, etc. Dans sa famille. Puis à l'école. Et dans la rue, pendant quarante ans... Elle en venait à haïr son propre corps meurtri. Notre psychiatre, Erol Franko, nous a fait percevoir que sa violence était un cri : « N'y a-t-il donc personne qui veuille être mon ami ? » C'est un long chemin pour une femme comme Pauline que de s'affranchir de l'engrenage de l'humiliation et d'un sentiment de culpabilité d'exister, pour retrouver confiance en elle-même. Tant et tant de personnes avec un handicap ont vécu semblables brimades. Cela peut entretenir une forme de violence chronique, voire de profondes dépressions. À la Ferme, notre centre spirituel au cœur de Trosly, nous organisons des retraites, parfois pour des personnes particulièrement humiliées : gens de la rue, femmes enfermées dans la prostitution, personnes homosexuelles et conjoints divorcés, séparés et parfois remariés. Je vous avoue que je me sens particulièrement touché par ce monde des humiliés. Je me souviens de ce jeune qui venait de prendre conscience de son attirance pour les hommes, et de la peur que lui inspiraient les femmes. Il pleurait. Il pleurait à cause des moqueries au lycée. Il pleurait parce qu'il sentait de l'incompréhension et de l'hostilité chez ses parents. Il y a cinquante ans à peine, l'homosexualité était un délit passible de prison au Canada, et le reste aujourd'hui dans nombre de pays d'Afrique et du Moyen-Orient. À la faveur de ces rencontres bouleversantes, un vaste monde de personnes humiliées et fragiles m'a été révélé, comme s'il sortait de l'ombre. Ces humiliations peuvent naître d'un rejet au sein de la famille, de l'Église ou de la société, d'un sentiment de culpabilité lié au regard posé sur telle ou telle situation. Chacune d'elles, à travers son expérience, vit quelque chose d'intense sur le plan humain. Nous pouvons apprendre beaucoup de ces personnes, pour peu que nous prenions le temps de les écouter et de les rencontrer. Chacune abrite son secret, sa pauvreté et parfois une colère contre elle-même. Ces humiliés, en raison de leur combat, effleurent des vérités humaines qui nous sont souvent inaccessibles. En chacun d'eux réside une beauté cachée, l'innocence primale, une soif de vie qui peut mettre de longues années pour éclore. Dans le cas de Pauline, ce fut un long cheminement, jusqu'à ce qu'elle puisse construire une image positive d'elle-même. Cela s'est fait petit à petit, à travers différentes relations avec des assistants qui ont pu lui faire comprendre : « Tu es importante pour nous. » Elle avait le droit d'exister comme elle était, libre d'être elle-même.

*

C'est toujours le besoin de dominer les autres ou d'assouvir nos soifs égoïstes qui nous empêche de libérer les personnes humiliées. Cet ego, qui se manifeste dans la dureté de nos jugements, empêche notre vraie identité de s'éveiller afin de rencontrer ces personnes humiliées. Il est parfois difficile de lutter contre. Devenir libre… Nous y aspirons tous ! Encore une fois, il nous appartient de renverser les barrières qui enclavent nos cœurs. Déblayer les scories et les gravats qui obstruent le puits au creux de notre être. Tout ce qui nous emprisonne dans des certitudes de supériorité, personnellement et dans les groupes auxquels nous appartenons, est appelé à disparaître pour que nous goûtions à notre liberté d'enfants de Dieu, enfouie dans notre pauvreté humaine.

Nous qui redoutons tant les situations d'humiliation, nous pouvons apprendre des humiliés. Il faut descendre pour les rencontrer. Ils nous offrent un chemin privilégié pour atteindre ce dépouillement, cette vérité. Cette rencontre passe par la joie d'une présence partagée, une communion bienheureuse. Nous ne devons pas craindre d'exprimer la tendresse qui est en nous. Regarder l'autre avec bienveillance et humilité, sans le juger ni le condamner, et écouter son histoire. Saint Paul nous révèle ce qu'est l'amour véritable (1 Corinthiens 13). La patience. Le service. La joie dans la vérité. Un amour qui supporte tout, accepte tout, croit tout et espère tout. Qui d'autre que l'Esprit de vérité peut nous inspirer pareil amour ? Un amour capable d'éveiller ce qu'il y a de plus beau et de plus profond chez les blessés de la vie ? Les aider à retrouver (ou trouver) confiance en eux-mêmes et leur montrer qu'ils sont plus beaux qu'ils n'osent le croire en accueillant le don de leur vie. On ne peut aider quiconque à se libérer de ses entraves que si l'on a soi-même entrepris un chemin de libération avec humilité.

Découvrir mes propres fortifications, mes peurs, a fait naître en moi le désir d'avancer. Une espérance, aussi. Six siècles avant Jésus Christ, Bouddha affirmait qu'« un homme peut vaincre un million d'hommes dans une bataille mais celui qui s'est vaincu lui-même est le plus grand conquérant ». Je comprends grâce à l'Arche que mes seules forces ne me suffisent pas à dominer mon ego, enraciné sous des strates de secrètes angoisses. J'ai besoin d'une force et d'une présence nouvelle de l'Esprit saint. Je comprends qu'il me faut distinguer en moi-même l'exercice des dons reçus et développés afin de réaliser ma mission, de l'ego qui me pousse à vouloir être supérieur aux autres. « Il faut mener la guerre la plus dure qui est la guerre contre soi-même », soulignait le patriarche Athénagoras de Constantinople. « Il faut arriver à se désarmer. Je suis désarmé de la volonté d'avoir raison, de me justifier en disqualifiant les autres. »

La rencontre avec les humiliés, les personnes les plus faibles, celles qui ont perdu tout repère à cause de la maladie d'Alzheimer, est bouleversante. Conditionnés par nos désirs d'ascension, nous comprenons qu'il faut descendre pour rencontrer Dieu caché en eux et en nous. Les rencontrer nous fait découvrir sa force invisible et la douceur de sa présence.

Dans mon cas, ce n'est pas tant un ego surdimensionné qui m'empêche d'accueillir pleinement la force de Dieu que des compulsions, aussi minimes soient-elles, avec lesquelles j'avance comme je peux. Elles jaillissent d'un ego plus caché, ainsi que des angoisses et des blessures profondes qui se sont cristallisées en moi au long de mon existence, mues par une secrète volonté de puissance. Elles attisent mes impatiences, me poussent souvent à agir dans la précipitation. À d'autres moments, je n'ai le goût à rien, je tourne en rond. Elles m'incitent parfois à critiquer certaines personnes, à interrompre des conversations pour dire ce que moi je sais, ce que je tiens pour juste et vrai. Je suis encore loin d'être « désarmé » au sens où nous y invite le patriarche Athénagoras ! Il me reste un long chemin pour écarter librement ces compulsions. Mais comment les vaincre ? La méthode la plus efficace consisterait à atténuer le pouvoir de l'angoisse. Apprendre à reconnaître les moments où ces peurs se réveillent en moi. Il me faut davantage de temps, de silence. Un vrai travail sur moi-même pour éveiller mon intériorité et ma petite voix intérieure. Mes amis peuvent m'y aider. Mais je ne peux faire l'économie de la prière personnelle, si je veux que l'Esprit saint accomplisse en moi son œuvre d'amour.

C'est en reconnaissant qu'il y a des angoisses à l'origine de nos compulsions que nous pouvons vraiment accueillir le don des personnes humiliées. Il faut soi-même devenir plus humble pour devenir plus libre. Cette rencontre avec les humiliés, et avec tout autre, ne trouve-t-elle pas sa source dans l'amour réciproque de Jésus, l'humilié sur la croix, et de son Père ?

*

Chapitre 25

DE LA GÉNÉROSITÉ À LA RENCONTRE

Je me souviens d'une responsable d'une communauté de l'Arche en Australie, qui était venue me trouver. Avant de s'engager à l'Arche, elle avait accompagné avec beaucoup de générosité et de compétence des jeunes enfermés dans la prostitution. Un soir, alors qu'elle arpente un grand parc de Sydney, elle découvre un homme en train de mourir d'une overdose. Ce n'est pas la première fois qu'elle le croise. Elle le prend dans ses bras. Et dans un dernier souffle, l'homme lui dit : « Tu n'as jamais voulu me rencontrer, tu as toujours voulu me changer. » Cette femme a été bouleversée. Ce n'est pas facile de rencontrer l'autre. Il faut prendre le temps. Ou plutôt : il faut perdre du temps pour vivre une confiance mutuelle. Cet homme avait son histoire, une histoire certainement souffrante. Si on écoute l'histoire de l'autre, on commence à pleurer ensemble. On se sent impuissant devant lui. Il faut du temps pour l'aider à découvrir la source de sa vie et retrouver confiance dans ce qu'il y a de plus beau et de plus humain en lui.

Il s'agit de passer de la générosité à la rencontre. J'irais même jusqu'à parler d'un sacrement de la rencontre, un moment de grâce. Un être humain qui rencontre humblement un autre être humain : présence l'un à l'autre, une écoute respectueuse qui éveille la vie et la confiance en soi. Mais comment nous libérer de nos peurs, de nos blessures, de nos certitudes de supériorité qui empêchent la rencontre ? N'est-ce pas découvrir en soi la paix de Dieu, cet état de détente, de grande ouverture, qui renouvelle notre regard sur l'autre et permet de l'écouter avec respect, car il est lui aussi enfant de Dieu.

La rencontre implique une disponibilité à recevoir de l'autre. Je connais un homme né dans une famille parfaite. Étudiant brillant, il faisait le bonheur de ses parents. Une fois diplômé, il a merveilleusement réussi sa carrière, décrochant promotion sur promotion. Aux yeux de tous, il passait pour l'homme idéal. Cet homme débordant d'énergie trouvait même le temps de venir en aide à quelques personnes en difficulté, au milieu de toutes ses activités. En toutes choses, il savait comment s'y prendre. À ceci près : il n'était pas capable d'écouter et de rencontrer l'humilié, d'entrer dans une vraie démarche relationnelle avec lui. Il était trop centré sur lui-même, sur ses propres aptitudes, pour s'ouvrir aux faiblesses des autres. C'est en apprenant la maladie mentale de sa fille que cet homme a commencé à changer. Face à elle, il a perdu pied. Il se sentait dépassé. Il lui a fallu accepter sa propre pauvreté avec humilité. Apprendre à demander de l'aide. Et finalement, c'est sa fille qui l'a aidé à descendre au cœur de son humanité, au prix d'une vraie rencontre. Il a été transformé par le don de la vie de sa fille et de son amour.

*

Dans son testament, saint François d'Assise révèle avoir long-temps nourri un sentiment de répulsion à l'égard des lépreux. Un jour, poussé par l'Esprit saint, il s'est senti appelé à les rejoindre et à vivre avec eux. À leur contact, il disait éprouver une nouvelle douceur en son corps et esprit. Dans la rencontre authentique, dans la joie de la communion qu'il a vécue avec eux sans rien faire pour eux, il a été transformé. Les murs de peur autour de son cœur, qui le tenaient à distance de ces personnes humiliées, sont tombés. Il a trouvé une nouvelle liberté et la joie de la communion en vivant comme un enfant de Dieu parmi d'autres enfants de Dieu : son innocence primale, en résonance avec la leur. Comment opérer ce passage de la répulsion et de l'indifférence totale à une véritable rencontre ? À l'échelle d'une société, cela peut passer par la reconnaissance de la légitimité de la vie des plus exclus et l'adoption de lois qui les protègent. Et puis, à un moment, advient un passage vers la fraternité : ils sont humains comme moi. Alors peut naître la générosité véritable : je veux les aider, les soutenir matériellement. Et finalement, contre toute attente, je rencontre l'un d'eux, je l'écoute. Nous parlons ensemble. Je suis touché par son histoire. C'est un cœur à cœur, une communion, qui permet à chacun de recevoir de l'autre.

À l'image du jeune Poverello, nombreux sont les hommes et les femmes qui se sentent aujourd'hui incapables de faire ce pas, de traverser la route que personne n'ose franchir. Ils n'ont pas trouvé une vraie liberté intérieure. Si bien qu'ils cherchent éperdument une situation capable de les sécuriser et de se sentir reconnus. Sans cette sécurité, on se sent perdu en face des personnes humiliées telles que Pauline. On veut les changer, on ne parvient pas à les rencontrer. On n'arrive pas à franchir tout seul les frontières invisibles. Avec nos propres fragilités, nous pouvons en revanche suivre ceux qui ont pu oser le faire grâce à un appel de Dieu, et en communauté.

Ainsi, de nombreux jeunes viennent à l'Arche comme volontaires pour nous aider pendant un an. Un certain nombre manquent cruellement de confiance en eux et ont souffert d'échecs, ou d'un manque d'amour, de soutien et d'encouragement dans leurs familles. En communauté, ces assistants peu à peu sont transformés en découvrant qu'ils sont aimés par ceux et celles qu'ils sont venus aider. Se lève alors une force nouvelle, une liberté intérieure en eux. Ils retrouvent confiance en eux-mêmes. Les murs de peur s'effondrent peu à peu. Messagers de paix, ils découvrent la vie et la joie dans un monde où subsiste tant de violence.

*

Chapitre 26

LA VÉRITÉ JAILLIT D'EN BAS

En 2004, les communautés de l'Arche se sont engagées dans une démarche intitulée « identité et mission ». Cette grande réflexion, d'ampleur internationale, a abouti à une définition que je trouve superbe : « L'Arche est le lieu d'une relation qui transforme et devient signe pour le monde. » Voilà une petite révolution ! Au commencement, je percevais l'Arche comme un envoi de Dieu : les assistants qui nous rejoignaient étaient des envoyés. S'ils découvraient peu à peu le vrai sens de notre mission, c'était à travers une rencontre personnelle avec Jésus. Or, la formulation de notre vision a évolué par rapport à ce que j'avais cru au début. En communauté, nous avons découvert et formulé ce que nous vivons : une expérience avec les personnes porteuses d'un handicap, qui nous façonne et nous transforme, nous humanise et nous ouvre à Dieu. Comme si la vérité jaillissait du cœur des déshérités, de ceux que l'on relègue au ban de la société, en raison de leurs défaillances intellectuelles. Je me suis senti tiraillé entre ma vision initiale de l'Arche — une mission à l'intérieur de l'Église catholique — et celle qui émergeait à la faveur de notre développement, et qui m'apparaissait « plus humaine ». Peu à peu, j'ai compris que cette vision faisait partie du plan de Dieu, Verbe fait chair pour devenir le frère de chaque être humain. « Partir de chez soi sans savoir où l'on va, parce que Dieu nous mène [...] tendus dans l'espérance vers la cité à venir, comme les témoins dont parle l'Épître aux Hébreux, "les regards fixés sur Celui qui est l'initiateur de la foi et la mène à son accomplissement" (He 11,1–12,2)[1] ». Les personnes avec un handicap manifestent la présence de Dieu dans ce que notre monde a de plus fragile et de plus délaissé. Comme l'a écrit saint Jean Chrysostome, elles deviennent sacrement, source de grâce ; une présence de Dieu. Et saint Vincent de Paul parle des pauvres qui sont nos maîtres.

Cette vérité jaillie d'en bas, à partir d'une rencontre, entraîne des conséquences sur le plan œcuménique et interreligieux. Si l'on rencontre authentiquement l'autre — quelle que soit sa religion ou son absence de religion — on touche son identité d'enfant de Dieu, au-delà de toute notion d'appartenance. On le rejoint et le rencontre au plus profond de sa personne, dans son humilité radicale, c'est-à-dire en ce qu'il y a de plus vulnérable, de plus pauvre et de plus beau en lui. Là où s'exprime sa soif d'être aimé pour ce qu'il est. À ce degré de rencontre, chacun peut offrir sa fécondité spirituelle, quel que soit le nom donné à Dieu, qui est l'Unique, le Père de tous les hommes.

---

1. Magnifique lettre pastorale des évêques d'Afrique du Nord, datant de 1977, citée par Christian Salenson dans son livre *L'échelle mystique du dialogue de Christian de Chergé* (Bayard, 2016).

*

Mais comment découvrir le trésor de l'autre si l'on n'a pas, au préalable, mis au jour le sien ? Cette interrogation m'a poussé, une nouvelle fois, à approfondir ma quête de vérité. Descendre et creuser mes profondeurs, dans l'espoir d'y découvrir Dieu caché sous les sédiments de la vie. Que de chemin à parcourir pour devenir libre !

*

Sur ce chemin sinueux, nous ne sommes ni seuls ni démunis. La Parole de Dieu est un puissant ferment pour féconder nos vies. Le livre d'Isaïe, à cet égard, m'a souvent éclairé. Au chapitre 58, il y a cette question essentielle posée par le prophète : quel est le jeûne que Dieu préfère ? Est-ce lorsque nous nous mortifions et nous rabaissons devant lui ? Voici sa réponse :

« N'est-ce pas plutôt ceci, le jeûne que je préfère,
défaire les chaînes injustes,
délier les liens du joug,
renvoyer libres les opprimés,
et briser tous les jougs ?
N'est-ce pas partager ton pain avec l'affamé,
héberger chez toi les pauvres sans abri,
si tu vois un homme nu, le vêtir,
ne pas te dérober devant celui
qui est ta propre chair ?
Alors ta lumière éclatera comme l'aurore,

ta blessure se guérira rapidement,
ta justice marchera devant toi
et la gloire de Dieu te suivra,
alors tu crieras et Dieu répondra,
tu appelleras, il dira : "Me voici." »

Si je rencontre des pauvres avec compassion et miséricorde, ce sont eux qui me transformeront. « Ma lumière éclatera comme l'aurore »…

Jésus nous annonce qu'au Jugement dernier, le Roi dira à ceux qui seront à sa droite : « Venez, les bénis de mon Père, recevez en héritage le Royaume préparé pour vous depuis la fondation du monde. Car j'avais faim, et vous m'avez donné à manger ; j'avais soif, et vous m'avez donné à boire ; j'étais un étranger, et vous m'avez accueilli ; j'étais nu, et vous m'avez habillé ; j'étais malade, et vous m'avez visité ; j'étais en prison, et vous êtes venus jusqu'à moi ! » Alors les justes s'étonnent : « Seigneur, quand est-ce que nous t'avons vu ? Quand sommes-nous venus jusqu'à toi ? » Et le Roi répond : « Amen, je vous le dis : chaque fois que vous l'avez fait à l'un de ces plus petits de mes frères, c'est à moi que vous l'avez fait » (Matthieu 25). Rencontrer la personne pauvre et humiliée, c'est rencontrer Jésus.

Le père Joseph Wresinski, fondateur de l'Aide à toute détresse, mieux connue sous le nom d'ATD Quart Monde, a confié aux assistants de l'Arche : « Les personnes avec un handicap que vous rencontrez tous les jours et qui sont le pôle de votre vie ont reçu mission de faire renaître l'amour et de répandre l'amour, d'obliger les hommes et les femmes à aimer, à s'aimer, et se faire aimer. »

Dans le Lévitique, Dieu dit au peuple hébreu : « Soyez saints, car moi le Seigneur votre Dieu je suis saint » (19,1-2). Jésus, lui, ira jusqu'à affirmer : « Soyez compatissants, comme mon Père est compatissant » (Luc 6,36). Être compatissant, proche des souffrants, vivant avec eux, implique souvent d'avoir les pieds dans la boue et les mains dans la saleté. En devenant plus proches de Dieu, nous nous transformons peu à peu en des hommes et des femmes de bonté et de compassion. Et si nous rencontrons avec compassion ceux qui sont dans la boue et crient leur souffrance, nous devenons comme Dieu. Nous vivons comme lui. Nous vivons en lui. Nous devenons ensemble des bâtisseurs du Royaume, des bâtisseurs de paix.

*

Chapitre 27

« T'AS PAS UNE CLOPE ? »

Patrick et moi vivons dans le même foyer depuis 1981. Il a 66 ans. Nous prenons très souvent nos repas à la même table. Patrick est un être d'une grande sensibilité. Son enfance et son adolescence ont été rythmées par les séjours à l'hôpital des enfants malades psychiquement de Perray-Vaucluse. Son papa, Albert, aujourd'hui décédé, nous laisse le souvenir d'un homme merveilleux, très proche de l'Arche. Ancien prisonnier de guerre, ce fervent lecteur de *l'Humanité* militait au parti communiste. Patrick, malade comme il est sur le plan psychique, est incapable d'une conversation suivie et cohérente. Il souffre d'une réelle psychose. Ce sont des mots, des idées qu'il ne peut s'empêcher de ressasser, comme s'il tournait en rond. Mais Patrick est très aimé, apprécié tel qu'il est. À table, il n'est pas rare que son rire éclate, inimitable, et qu'on l'entende s'écrier : « Je suis heureux, je suis heureux. » Parfois, il se jette subitement à terre, mimant un revolver avec ses mains, pour rejouer l'une de ces batailles qu'il a vues dans un western hollywoodien ou un James Bond. Nous rions tous de bon cœur : il est la joie même. Patrick éprouve une attirance immodérée pour le tabac. Une fois par mois, nous nous rendons au restaurant, accompagnés d'Odile Ceyrac, pour partager un dîner avec lui. Au beau milieu du repas, Patrick se lève sans crier gare et se tourne vers notre voisin de table : « Est-ce que tu fumes ? » Si l'intéressé répond affirmativement, Patrick embraye du tac au tac : « T'as pas une clope pour moi ? » Ah, Patrick aime la fête. Il aime danser. Il aime la bonne chère. Et du pain, et du pain, et du pain… Lorsqu'il se rend à la messe, il est toujours coiffé de son immuable chapeau, parfois d'une casquette. Avec ma formation résolument légaliste, je ne peux m'empêcher de lui suggérer d'ôter son couvre-chef avant la célébration. Patrick est bon. Il observe mes recommandations quelques secondes, puis se recoiffe aussitôt de son chapeau. Patrick est ce qu'il est. Il est heureux, quoique traversé de nombreuses angoisses : « Je vais mourir un jour. Mais je ne suis pas prêt. Je peux attendre encore. » Oui, Patrick. Tu peux attendre. Parfois, dans le salon de notre foyer du Val, nous sommes assis côte à côte. Là, il pose sa main sur la mienne. Nous restons en silence. Un moment de communion. Il se sait aimé. C'est un grand mystère : Patrick m'évangélise.

*

Chapitre 28

ELLE VEILLE SUR MOI

Annicette a 66 ans. Elle est arrivée à l'Arche à 18 ans. C'était une jeune femme meurtrie. Très tôt, elle avait été retirée à ses parents en proie à l'alcoolisme. Ballottée d'une famille d'accueil à l'autre, elle a beaucoup souffert. Elle a ensuite été placée dans un foyer tenu par des religieuses. Là encore, Annicette ne s'est pas sentie reconnue et aimée. L'Arche a marqué un tournant dans sa vie. Un jour, au cours du repas que nous partagions, elle s'est mise à me parler des orphelins d'Haïti en attente de parents adoptifs, après le séisme meurtrier qui a frappé l'île en 2010. Elle m'a dit : « Il faut tout faire pour qu'ils soient accueillis par des familles très bonnes et aimantes. » Cette observation m'a touché : « Annicette, est-ce de toi-même que tu parles, de ton expérience et de tes souffrances ? » « Oui », a-t-elle opiné. Au Val, j'en suis témoin, elle est devenue de plus en plus heureuse. Elle aime les autres et ne peut s'empêcher de les embrasser. Tous le lui rendent bien. Annicette possède une petite poupée à laquelle elle tient beaucoup. Elle en prend un soin infini. On sent que cela contribue à son équilibre. Je dois dire qu'Annicette est d'une grande douceur pour moi. Son cœur maternel s'exprime notamment dans cette façon qu'elle a de s'enquérir de ma santé : « As-tu bien pris tes médicaments ? » Lorsque je sors, elle m'aide à passer mon manteau. Et les conseils qu'elle me prodigue sont toujours très sages : « Ne te fatigue pas trop, il faut que tu te reposes. » Annicette a vraiment trouvé une famille. Je suis si heureux de vivre avec elle. Je crois qu'elle a besoin de moi, un peu comme un signe de paternité. Moi aussi, j'ai besoin d'elle. Et tout comme elle, j'ai trouvé une famille.

André, qu'on aime appeler Doudoul, est un ami avec qui je vis depuis longtemps. Il a 65 ans. Voilà un homme d'une immense tendresse, qui aime donner et recevoir. N'est-ce pas cette soif de tendresse qui explique l'aspect rugueux, difficile de sa personnalité ? Car Doudoul éprouve des difficultés avec l'autorité, surtout masculine. Un jour, il est allé consulter un cardiologue. Au retour, à table, nous lui demandons comment s'est passé son rendez-vous avec le docteur.

« Très bien.

– Qu'a-t-il vu dans ton cœur ?

– Jésus, a répliqué Doudoul, du tac au tac, comme si c'était une évidence.

– Et qu'est-ce que Jésus fait dans ton cœur ?

– Il se repose. »

Doudoul, qui aime aller souvent à l'eucharistie, sait que Jésus habite en lui.

*

Chapitre 29

AUX SOURCES
DE L'ENFANCE SPIRITUELLE

Récemment, une quarantaine de membres de notre communauté a vécu un pèlerinage à Lisieux, au cœur du pays d'Auge et des vertes collines de Normandie. Un périple plein de gaieté auquel j'ai eu la chance de pouvoir me joindre. Sur place, nous étions hébergés tout près du carmel. Rien ne pouvait entamer notre joie. Patrick et André, tous deux membres du Val, étaient des nôtres. J'ai également retrouvé Loïc et d'autres amis des Fougères. La magie d'un tel pèlerinage tient à peu de chose : la joie, la prière, le rire et le partage. Nous avons profité de cette escapade normande pour aller voir la mer. Là, Patrick a « nagé » selon ses termes, c'est-à-dire qu'il a ôté ses souliers et ses chaussettes pour patauger au bord de l'eau. Ce bref séjour auprès de la petite Thérèse était très important pour moi comme pour nous tous. Elle qui, en parlant de son carmel, disait : « Ma petite Arche sainte. » En me coulant dans ses pas, j'ai retrouvé le mystère de Thérèse, sa petite voie, sa confiance absolue en Jésus et en son amour. Vivre chaque jour de petites choses dans l'amour : quel trésor ! Très tôt, son expérience a nourri ma vie communautaire. Thérèse évoque par exemple cette sœur qui lui est désagréable en toutes choses, mais à laquelle elle s'efforce malgré tout d'offrir son plus beau sourire. Il existe des liens profonds entre Thérèse et l'Arche. Ma grand-mère, qui s'appelait Thérèse, avait le même directeur spirituel que sa célèbre homonyme de Lisieux, le père Pichon. Et lorsque le jésuite écrivait à ma grand-mère, il lui parlait parfois de ses « deux petites Thérèse » !

Un pèlerinage est toujours un temps extraordinaire qui met en relief le pèlerinage de notre vie, les étapes qui en jalonnent le cours sinueux. Nous sommes toujours attirés vers une source. Une source sainte. Revoir Lisieux m'a insufflé une force nouvelle. Dans ce lieu, une jeune femme, morte à 24 ans, a été choisie par Dieu pour amener une véritable révolution dans l'Église : apprendre à aimer Jésus tout simplement dans la confiance.

Les carmels implantés à travers le monde sont une source de vie exceptionnelle. Nous avons besoin de ces moines et moniales silencieux, comme nous avons besoin de tous ceux qui veillent sur nous dans la prière, parfois hors des monastères. Quand je me lève de bonne heure, j'aime me souvenir qu'eux aussi se trouvent en oraison au même moment. Je m'unis alors à eux dans le cœur de Dieu.

*

Chapitre 30

CE QUE JE DOIS À JEAN-PAUL II

Au cours de mon cheminement dans l'Arche, Jean-Paul II m'a souvent épaulé. C'est une histoire qui remonte à loin. Tout a commencé d'une manière pour le moins mystérieuse. Dans les années 1980, il m'arrivait fréquemment de rencontrer le pape polonais... dans mon sommeil ! Au gré de ces songes, je cherchais à l'approcher, à lui parler. Il n'a guère fallu attendre pour que cette connivence n'emprunte des voies plus rationnelles. À la même époque, je me suis rendu à Cracovie pour accompagner la mise en route d'une communauté de l'Arche avec l'aide des Petites Sœurs de Jésus. Lors de ce séjour dans le fief de Karol Wojtyła, j'ai fait la connaissance d'un prêtre polonais, ami intime du pape. C'est ainsi qu'en 1987, une délégation de l'Arche a pu être reçue en audience au Vatican. Lors de cette rencontre, Jean-Paul II m'a fait signe : il voulait me rencontrer. Après une messe en privé, dans sa petite chapelle, il m'a convié à prendre le petit déjeuner à sa table, loin des rigidités du protocole. Hormis son secrétaire Stanisław Dziwisz — futur évêque de Cracovie — et un autre prêtre de son entourage, j'étais son

seul hôte. Le pape m'a laissé parler. Je lui ai raconté avec passion ma rencontre avec les personnes touchées par un handicap, la naissance de l'Arche. Je me souviens lui avoir longuement
dépeint notre ami Éric, ce petit homme que nous avions re-
cueilli à sa sortie de l'hôpital psychiatrique. Sourd et aveugle,
Éric ne pouvait guère marcher. Comme beaucoup, il avait été
abandonné par sa famille et vivait une terrible angoisse. Jean-
Paul II m'écoutait avec soin, bien qu'on m'apprît par la suite
qu'il n'avait pas tout à fait saisi en quoi Éric pouvait me faire
du bien, ni dans quelle mesure la vie à ses côtés m'avait transformé. Lors de cette entrevue, je lui ai révélé avoir souvent rêvé
de lui, précisant que s'il avait ainsi visité mon inconscient, c'est
qu'il était de toute évidence comme un père pour moi !

Après cet échange, j'ai commencé à recevoir de nombreuses
invitations romaines. En 1987, pour le synode des évêques sur
la vocation et la mission des laïcs dans l'Église et dans le monde.
Il y eut ensuite une grande rencontre des communautés nouvelles sur la place Saint-Pierre. Avec Chiara Lubich, fondatrice
des Focolari, Don Luigi Giussani, fondateur de Communion et
Libération, et Kiko Argüello, fondateur du Chemin néocatéchu-
ménal, nous avons exposé à tour de rôle les missions spécifiques
de nos communautés en présence du pape. Au milieu de cette
foule, j'ai porté de mon mieux la voix des personnes avec un
handicap. À vrai dire, j'étais plutôt surpris de me retrouver sur
le devant de la scène avec de tels fondateurs, tant l'Arche me
semblait toute petite — et elle le restera toujours à mes yeux !
Avec simplicité, j'ai raconté une nouvelle fois l'histoire d'Éric,
ce petit homme qui m'avait tant aidé, et transformé de l'intérieur. Et j'ai redit à Jean-Paul II qu'il habitait nos prières.

Des rencontres à Rome, il y en eut bien d'autres au cours du pontificat. À la faveur du jubilé de l'an 2000, des théologiens du monde entier ont investi la cité pontificale pour évaluer les avancées théologiques depuis le Concile. Devant cette assemblée d'experts, on m'invita à donner un éclairage sur l'Arche, fruit de Vatican II. Une occasion de plus de faire connaître notre communauté, sa vie avec les pauvres, dans un esprit œcuménique et interreligieux. Peu de temps après, je suis intervenu lors d'un Congrès eucharistique à l'université Saint-Jean de Latran. Puis, en 2004, le pape a convoqué un symposium international sur la dignité et les droits de la personne atteinte d'un handicap mental, auquel j'ai assisté avec quinze autres personnes. Le pape nous a laissé ce message magnifique : « C'est pourquoi il a été dit à juste titre que les personnes handicapées sont les témoins privilégiés de l'humanité. Elles peuvent enseigner à tous ce qu'est l'amour qui sauve, et elles peuvent devenir des messagers d'un monde nouveau, non plus dominé par la force, par la violence, et par l'agressivité, mais par l'amour, la solidarité, l'accueil, un monde nouveau, transfiguré par la lumière du Christ, le Fil de Dieu incarné, crucifié et ressuscité pour nous. »

Point d'orgue de cette amitié, la visite de Jean-Paul II à Lourdes, en août 2004, restera un moment inoubliable. Notre dernier échange véritable, avant que la maladie ne l'emporte un an plus tard. L'évêque de Tarbes et Lourdes, Mgr Jacques Perrier, m'avait demandé de conduire une méditation itinérante des mystères lumineux du rosaire, en présence du pape. Extrêmement diminué, ce dernier me suivait lentement, installé dans sa papamobile. Je le devançais d'une dizaine de mètres, marquant un arrêt à chaque nouveau mystère. Je m'exprimais avec des mots simples, qui parlent à tous. Chaque méditation durait trois, quatre minutes. Tandis que je méditais sur Jésus annonçant la Bonne Nouvelle aux pauvres, quelques pas à peine me séparaient de l'homme en blanc. Nous nous sommes regardés droit dans les yeux, un long moment. Face à cet être affaibli, éprouvé, l'Évangile s'incarnait soudain dans une fulgurante vérité. Jésus, ai-je articulé, est venu nous annoncer une Bonne Nouvelle. Et notre pape est pauvre. Et il annonce une bonne nouvelle dans sa pauvreté. Il manifeste au monde que Dieu est présent dans la fragilité. Je continuais de le regarder fixement, si près de son corps meurtri. Lorsqu'enfin la procession s'est dispersée, il m'a fait signe de venir m'asseoir à ses côtés. Alors, au creux de ma paume, il a glissé son chapelet. Cette communion avec Jean-Paul II m'a profondément marqué. Près de cinquante ans plus tôt, j'étais chassé de l'Eau vive par les représentants du Saint-Office. Je m'étais senti rejeté par cette Église que j'aspirais à servir de tout mon être. Au fil de nos rencontres, le futur saint Jean-Paul II a pansé mes plaies, confirmant de la plus belle des manières le chemin de l'Arche. Des années après, je ressens toujours sa présence. Celle d'un père. D'un ami… Un ami auquel je dois une nouvelle libération de mon cœur. Un ami qui continue à veiller sur l'Arche.

*

Chapitre 31

LA CRAINTE QUE LE MESSAGER N'OCCULTE
LE MESSAGE

De 1956 à 1964, j'ai vécu des années de calme, de paix, de solitude. Heureux de vivre avec Jésus. Œuvrant à ma thèse de philosophie. Porté par le désir de réussir mes études. J'étais, je crois, un homme épanoui et même comblé. J'attendais avec confiance les signes de Dieu. Le succès de mes enseignements, à l'université de Toronto, me valut une première expérience de notoriété. Mais cela n'a pas duré. Quant aux prémices de l'Arche, ils m'apparurent comme la suite naturelle de ma solitude choisie. Mon modèle, c'était la vie cachée de Jésus à Nazareth. Une vie communautaire et simple. La cuisine, le travail manuel. Pauvre parmi les pauvres. D'aucuns me considéraient poliment comme un sympathique illuminé. À quoi donc peut jouer cet homme de 36 ans, de surcroît célibataire, en s'obstinant à vivre avec des personnes lourdement handicapées ? En dehors du docteur Léone Richet et de quelques autres médecins, les spécialistes de l'hôpital psychiatrique de Clermont me regardaient comme un mystique dévoyé par des sentiments chrétiens. On me toisait de haut. À leurs yeux, notre aventure manquait singulièrement de professionnalisme. La reconnaissance s'est tissée pas à pas, dans la discrétion. Alors qu'Édouard Balladur était Premier ministre, son épouse, Marie-Josèphe, est venue nous rendre visite. Elle est ressortie bouleversée par la vie dans les foyers de l'Arche. Notre joie l'avait touchée au cœur. Elle suggéra aussitôt à son influent mari de me décerner la Légion d'honneur. Et petit à petit, d'autres personnes ont perçu dans notre mode de vie en commun, notre simplicité radicale, une forme de révélation. L'Arche, capable de guérir les personnes les plus affaiblies, devenait par l'amitié et la vie ensemble un lieu de transformation.

*

Mars 2015. J'apprends que je serai le prochain lauréat du prix Templeton, du nom d'une fondation créée vingt-huit ans plus tôt par un célèbre philanthrope nord-américain. En matière d'engagement social, cette distinction honorifique passe pour l'une des plus importantes au monde. Mère Teresa, Frère Roger, Desmond Tutu et le Dalaï-lama l'ont déjà reçue. Mais pourquoi moi ? La Fondation, peut-on lire dans un communiqué officiel, a tenu à mettre en valeur mes découvertes novatrices sur le rôle central des personnes vulnérables dans la recherche d'une société plus juste, plus inclusive et plus humaine. Cet hommage me fait chaud au cœur, c'est évident. Et bien entendu, c'est un coup de projecteur très spécial, et même inespéré, pour l'Arche.

Pourtant, ce soudain regain de renommée m'inspire des sentiments ambivalents. Je crains que le public ne s'intéresse trop au messager et pas assez à son message. Le message de l'Arche, comme celui de Foi et Lumière, est un message très simple. Si nous acceptons de vivre avec les personnes atteintes de déficiences mentales, nous serons transformés. Si pauvres soient-elles sur un plan intellectuel, elles nous apprennent à devenir plus humains, plus authentiques. Et, de ce fait, plus engagés dans les œuvres de la paix. À cette condition essentielle : que nous acceptions d'entrer en relation avec ces personnes.

À titre personnel, il ne m'est pas insensible d'avoir été distingué par la Fondation Templeton. Et je mesure le danger bien réel qui guette celui qui se complaît dans les honneurs. L'orgueil rôde toujours. Dans la vérité de mon être, je sais que l'Arche est l'œuvre de Dieu. Je suis bien obligé de le reconnaître. Certes, Dieu m'a choisi pour la mettre en route. Mais j'ai toujours eu conscience de mes fragilités et de mes faiblesses qui ont pu causer du mal. Cela ne me quitte pas, ni la souffrance devant les blessures commises au sein de l'Arche par le père Thomas. Cependant, au plus profond de mon cœur, je suis heureux que le message de l'Arche et de Foi et Lumière soit désormais promu dans le monde entier. Les personnes avec un handicap mental sont mieux connues, mieux reconnues. Elles bénéficient enfin d'une plus grande place au sein de l'Église, et, j'ose le croire, dans nos sociétés.

*

Chapitre 32

SAINT JEAN
ET L'ÉVANGILE DE LA LIBERTÉ

Il est « le disciple que Jésus aimait ». Ma vie dans l'Arche m'a fait approfondir, et j'ose dire mieux comprendre, l'Évangile de Jean. Nous lui devons une parole incandescente et singulière. Certes, avant de m'engager dans cette voie, j'aimais déjà cet Évangile. Pourquoi ? Je crois que saint Jean nous dévoile un chemin. Un chemin pour mieux connaître Jésus et pour vivre avec lui. L'un des points essentiels de ce texte est contenu dans le terme grec *menein*, qui signifie « demeurer ». Tout commence avec deux disciples qui, après avoir quitté Jean le Baptiste, suivent Jésus. « Que cherchez-vous ? » leur demande-t-il. « Maître, où demeures-tu ? » répondent les disciples. Voilà le secret : l'Évangile de Jean nous fait progressivement découvrir où Jésus demeure. Bien sûr, il demeure dans le Père. Bien sûr, il demeure dans l'Église. Mais peu à peu, en méditant les paroles de Jean, nous découvrons qu'il demeure en chacun de nous. Tout l'Évangile vise à nous aider à devenir des amis de Jésus. Le cœur de l'Évangile, c'est l'amitié. Et justement, n'est-ce pas aussi le sens de l'Arche ? Rencontrer des personnes avec un handicap intellectuel, vivre en communion avec elles, devenir leur ami, et demeurer auprès d'elles… L'Évangile de Jean m'a appris — mais je sens qu'il faut, encore et encore, l'approfondir — à demeurer simplement avec Jésus, à le découvrir dans les pauvres et ceux qui sont fragiles. Le cœur de l'Évangile, c'est cette parole de Jésus : « Demeure dans mon amour. » Si on demeure en Jésus, notre cœur s'ouvre à tous les êtres humains. Ceux qui sont proches et ceux qui apparaissent comme des ennemis. C'est une certitude, puisque Jean écrit que Dieu a tellement aimé le monde qu'il a envoyé son Fils bien-aimé pour donner la vie. L'Évangile de Jean est un Évangile de vie et de paix. « Je vous donne ma paix, je vous laisse ma paix. Non pas comme le monde la donne. » Cette paix, c'est Jésus qui nous la transmet en nous faisant découvrir que l'essentiel consiste à demeurer avec lui. Et de le laisser demeurer en nous. Si je demeure en lui et lui en moi, alors je vais pouvoir aimer les autres comme Jésus les aime. Et Jésus les aime en nous apprenant à descendre, à se mettre à genoux, pour laver les pieds des autres. Sans les commander d'en haut. Sans chercher à prendre l'ascendant. Jésus lave les pieds de ses disciples et dit : « Comprenez-vous ce que je viens de faire pour vous ? Vous m'appelez "Maître" et "Seigneur", et vous avez raison, car vraiment je le suis. Si donc moi, le Seigneur et le Maître, je vous ai lavé les pieds, vous aussi, vous devez vous laver les pieds les uns aux autres » (Jean 12 - 13).

N'est-ce pas le centre et le cœur de l'Arche, que d'être là pour servir humblement les plus pauvres, les relever, pour qu'ils puissent prendre pleinement leur place dans l'Église et dans nos sociétés ? Et pour qu'ils nous aident à accueillir la vérité de notre propre pauvreté ?

Cependant, cet épisode du lavement des pieds a été vécu comme un moment de crise par les disciples. Pierre refuse de s'y prêter : « Tu ne me laveras pas les pieds ; non, jamais ! » Il croyait en un Jésus puissant, qui allait libérer le peuple du joug des Romains. Or, le maître s'abaisse comme un esclave à genoux. Plus tard, ce même Pierre criera : « Je ne connais pas cet homme. » De fait, il ne connaissait pas un Jésus faible, se laissant malmener par les autorités juives et romaines. Jésus, en devenant faible, nous fait découvrir le rôle de la faiblesse comme le lieu de la relation et de l'entraide, comme le lieu de la rencontre avec Dieu. « Ma force se manifeste à travers ta faiblesse », dira-t-il à Paul (2 Corinthiens 12, 9).

En Irlande du Nord, alors en proie à un violent conflit opposant les unionistes — majoritairement protestants — et les nationalistes — catholiques pour la plupart —, j'ai eu la grande joie de parler du lavement des pieds durant une journée de prière et de récollection pour les responsables des différentes communautés chrétiennes (Église catholique, Église d'Irlande, presbytérienne, méthodiste, Armée du Salut...). À la fin de la journée, nous nous sommes mutuellement lavé les pieds, dans un moment d'une rare intensité. Quelques années plus tard, j'ai été invité au centre œcuménique de Genève pour prêcher devant cent quatre-vingts représentants des différentes Églises. Au cours de la célébration finale, nous avons perpétué une nouvelle fois le geste du lavement des pieds. Il était si touchant de voir un évêque orthodoxe laver les pieds d'une femme noire, pasteur américaine. Lors de telles rencontres œcuméniques, nous ne pouvons pas toujours communier à la même table eucharistique, du fait de nos divisions. Mais nous pouvons nous pencher pour nous laver les pieds les uns aux autres. Alors nous vivons l'unité dans l'humilité et la pauvreté.

Saint Jean m'a révélé un Jésus épris d'unité. Jésus est mort pour que tous les êtres humains puissent se rassembler. La paix, à laquelle tant de nous aspirent, naît de l'unité. Au puits de Jacob, Jésus rencontre une femme blessée. C'est une Samaritaine, méprisée du fait de ses origines. Mais Jésus lui promet de lui donner l'eau vive — une vie nouvelle — c'est-à-dire son Esprit saint. Elle, si pauvre, la voici transformée. À son tour, elle va conduire d'autres Samaritains vers Jésus. Une fois encore, c'est à travers le pauvre qu'agit Jésus. Grâce à saint Jean, nous en avons la certitude : « Si quelqu'un m'aime, il gardera ma parole, et mon Père l'aimera ; nous viendrons à lui, et nous ferons notre demeure chez lui » (Jean 15,10). Demeurer en Jésus pour que lui demeure en nous, et que nous puissions aller vers les plus démunis, pour recevoir une source d'eau vive et leur révéler leur valeur.

*

Chapitre 33

L'ÉVOLUTION DE L'HUMANITÉ :
VERS UNE PLUS GRANDE UNITÉ

Saint Jean, au début de son Évangile, dit que le Verbe de Dieu a tout créé. « Tout a été fait par lui et sans lui rien ne fut. » Notre univers, avec ses planètes et ses galaxies, est extraordinairement beau. Tout est si unifié. Il en va ainsi de notre Terre et des vivants : chacun a besoin des autres. Le plus petit des insectes et le plus grand des animaux ont leur place et leur mission. Avec l'apparition des hommes est entré dans le monde un désordre. Au lieu de cultiver la Terre et de l'embellir, ils ont commencé à détruire l'unité par la pollution des eaux et des airs, et la destruction des espèces. Peu à peu, les êtres humains ont évolué. Ils sont devenus plus nombreux. Ils ont cherché souvent l'unité entre eux par la force et par la domination, par le pouvoir et l'avarice, en supprimant les personnes et les groupes plus faibles. Aujourd'hui, avec l'avancée des technologies, avec les peurs et les haines qui séparent des groupes et des pays, la question se pose : allons-nous vers la destruction des êtres humains ou une paix est-elle encore possible ? N'y a-t-il pas un chemin d'unité qui est en train de s'ouvrir ? Le rapprochement entre les êtres humains est inéluctable, même si cela se vit parfois dans la douleur. Si l'on y regarde de près, on constate pourtant que cette évolution a commencé dans une très grande pauvreté, autour de petits groupes épars qui, peu à peu, se sont rassemblés. Et j'y vois un signe essentiel pour éclairer notre présent. Notre monde ira-t-il vers la paix ou vers encore plus de violence et de guerre ?

En 1978, j'ai eu la chance d'entreprendre un long voyage jusqu'en Papouasie-Nouvelle-Guinée, une île située dans le sud-ouest de l'océan Pacifique. Le pays venait d'obtenir son indépendance et était en train de naître sous nos yeux. À mon arrivée, on m'a raconté que plus de sept cent trente-quatre langues coexistaient encore sur l'île. Certains dialectes étaient en voie d'extinction, d'autres restaient vivants. Cette diversité m'a fasciné. Les gens que je rencontrais, au lieu de m'indiquer le nom de leur village, se déterminaient en disant « *my talk* », c'est-à-dire « ma langue ». Venant d'Europe, cela semblait si étonnant ! C'était comme découvrir ce qu'avait pu être le visage antérieur de notre civilisation. J'observais la Papouasie-Nouvelle-Guinée, avec ses montagnes et ses forêts, ses petits groupes qui commençaient à s'élargir, à penser au-delà des lisières de leurs ancêtres. On n'hésitait plus, pour se nourrir et puiser de quoi vivre, à franchir les montagnes et les forêts, à trouver de nouveaux lieux où s'établir. Ainsi, de nouveaux groupes se formaient, chacun avec sa langue, sa culture, sa façon de rendre hommage à Dieu, avec ses coutumes matrimoniales, son rapport à la médecine… Au fil du temps se forgeait un nouveau pays. Un monde prenait corps, à travers la somme des petites entités, à travers les rencontres et les métissages. Ce que j'ai perçu dans ce pays en devenir m'a fait comprendre le mouvement de fond qui a permis à nos sociétés d'évoluer et de grandir.

*

Comment s'est construit notre monde ? Peu à peu, les êtres humains, avec des techniques nouvelles, se sont rendus de plus en plus loin pour conquérir de nouvelles terres. Les plus hardis osaient s'embarquer sur de frêles navires, puis de plus grands, pour traverser les océans. Progressivement, les tribus ont formé des nations. Et ces nations ont commencé à se livrer bataille avec des armements nouveaux. Le commerce s'est développé et avec lui l'esprit de compétition ; les cultures se sont mêlées. Le monde s'élargissait, mais les groupes nouveaux qui se formaient étaient tenaillés par des rivalités, des désirs de domination et de conquête. De grandes figures de monarques et de chefs de guerre ont conduit ces peuples. Il suffit de flâner autour de l'Arc de Triomphe, en plein cœur de Paris, pour se souvenir que nombre d'entre eux continuent de hanter notre mémoire. Celle d'un monde qui se déploie et cherche à s'unifier sur des rapports de violence et de confrontation.

*

Les principales religions ont prospéré au gré de cette histoire tourmentée. Le bouddhisme, l'hindouisme, le confucianisme, le judaïsme, le christianisme, l'islam… Chacune a trouvé sa place, sûre de détenir la vérité. Comme d'autres, les chrétiens crurent devoir convertir leurs semblables pour leur apporter la connaissance ultime du divin et de l'humain. Aujourd'hui encore, de nombreux croyants estiment que l'acceptation de leur foi constitue un préalable indispensable pour être sauvé. Il faut convertir les autres. La marche de l'humanité est émaillée de guerres à consonance religieuse, des croisades médiévales aux conflits actuels en Afrique ou au Proche-Orient.

*

Deux événements récents, dans l'histoire du catholicisme, me semblent toutefois marquer un tournant décisif vers une nouvelle compréhension des rapports humains. En premier lieu, le concile Vatican II (1962-1965), dont la constitution pastorale *Gaudium et spes* affirme que la conscience personnelle est « le centre le plus secret de l'homme, le sanctuaire où il est seul avec Dieu et où sa voix se fait entendre ». Cette conscience est donnée à chaque être humain pour le conduire vers le bien, le juste, le vrai. Je pense en second lieu à l'audacieuse rencontre d'Assise, convoquée en 1986 par Jean-Paul II. Des responsables religieux de tous horizons osèrent poser un geste inédit en faveur d'un nouveau chemin de paix : le dialogue.

Au fond, c'est vraiment la grande question. La seule qu'il est urgent de se poser. Où se situe la paix ? Comment l'atteindre ? Il a fallu trois guerres terribles entre la France et l'Allemagne pour que la construction européenne soit amorcée. Le pressentiment qu'à l'heure de l'arme atomique, nos sempiternelles rivalités devenaient suicidaires. Au lendemain de la Seconde Guerre mondiale, la Déclaration universelle des droits de l'homme adoptée par les Nations unies a souligné que la reconnaissance de la dignité inhérente à chaque personne de la famille humaine constitue le fondement de la liberté, de la justice et de la paix dans le monde. Peu à peu, des groupes ont commencé à prendre conscience que chaque individu mérite considération. Le discours sur les tribus du Canada, au début du xxᵉ siècle, a évolué. Avant cette époque, on obligeait les enfants à se séparer de leur famille, de leur langue et de leur culture pour devenir de « vrais » Canadiens. Maintenant, on honore les membres de ces tribus avec leur amour de la terre et de la nature. De même, les Africains ne sont plus considérés par les Occidentaux comme des sauvages à civiliser. Maintenant on reconnaît la sagesse de leurs civilisations. Je pourrais citer encore bien d'autres exemples. Progressivement, on commence à parler des personnes avec un handicap avec davantage de respect, de même que des personnes homosexuelles qui, il y a cinquante ans encore, étaient vues comme des criminels. Nous avons commencé à réaliser que, au-delà des appartenances, des cultures et des religions, chaque être humain est une personne importante.

Au-delà de toutes les peurs, de toutes les guerres, et des haines si répandues à travers le monde, au-delà de l'avarice qui blesse notre planète, des milliers et des milliers de petites lumières s'allument. Des lumières de paix et de vie à travers lesquelles chaque personne, quelles que soient sa culture, ses capacités ou incapacités, est considérée comme précieuse. La paix n'est donc pas seulement l'œuvre des militaires, des politiques et des économistes, elle repose sur chacun de nous. « Notre unique obligation morale, c'est de défricher en nous-mêmes de vastes clairières de paix et de les étendre de proche en proche, jusqu'à ce que cette paix irradie vers les autres. Et plus il y a de paix dans les êtres, plus il y en aura aussi dans ce monde en ébullition », écrit dans son journal Etty Hillesum. Un nouveau monde commence à apparaître à l'horizon, qui dépend de chacun de nous et de la transformation de nos cœurs. Cette vision de paix universelle, liée à la liberté intérieure et à la croissance de chaque personne, peut être soutenue par les nouvelles communications si nous les utilisons à bon escient : les smartphones, Facebook, Twitter, etc. Nous sommes maintenant capables de communiquer pour nous stimuler les uns les autres afin de devenir plus libres, plus vrais, plus ouverts à l'action de l'Esprit saint. Dieu merci, le groupe n'est pas toujours synonyme d'emprisonnement. C'est aussi le lieu où nous puisons la force d'aller à la rencontre des personnes exclues, différentes. Où nous nous entraidons afin de devenir des hommes et des femmes de paix, de petites communautés de lumière, « où on brille comme des foyers de lumière dans un monde dévoyé », comme le dit saint Paul (Philippiens 2,15). Ces communautés ne sont pas des carcans qui nous emprisonnent dans nos clans et nos certitudes d'appartenir au groupe détenteur de l'unique vérité. C'est avec beaucoup de joie que j'ai découvert l'affirmation de Benoît XVI, avant son acte si humble et si simple de renonciation à sa charge : « Personne ne possède la vérité. » Il l'a écrit pour le Moyen-Orient où tant de religions se côtoient ! Quelle parole de ce pape qui a toujours eu beaucoup d'affection pour l'Arche !

Il ne s'agit pas seulement de dialoguer mais surtout de rencontrer l'autre différent. Le père Joseph Wresinski va jusqu'à dire que l'unité ne sera possible que lorsque nous prendrons conscience qu'elle passe par les plus pauvres, car la division la plus profonde est celle qui perdure entre les plus aisés et les laissés-pour-compte. Qui mieux que ce peuple de déshérités peut savoir, pour l'avoir subie dans sa chair, combien l'oppression de l'homme est destructrice ? Si nous écoutons ces communautés formées avec des exclus et des humiliés, leur expérience nous enseigne le sens véritable de la justice et de la liberté. Oui, un nouveau monde se dessine, dans lequel chacun est invité à se faire messager de paix, en devenant l'ami d'une personne exclue et rejetée. L'un et l'autre, cette amitié les transformera. Ce monde pour lequel Jésus, prince de la paix, a prié « qu'il soit un comme mon père et moi nous sommes un » (Jean 17), lui qui a donné sa vie pour rassembler tous les enfants de Dieu dispersés (Jean 11,52). Il n'est pas toujours facile de se situer entre ce qui était et ce qui doit venir. Ce lieu s'appelle l'espérance. Une espérance qui se cache dans les pauvres : une espérance de paix.

Les frères de Taizé, qui œuvrent avec les enfants de la rue au Bangladesh, et qui ont été très présents à la fondation de l'Arche là-bas, écrivent dans l'une de leurs lettres : « Le défi auquel nous sommes confrontés aujourd'hui nous pousse à montrer que le service donné à nos frères et sœurs qui sont faibles et vulnérables signifie l'ouverture d'un chemin de paix et d'unité : accueillir chacun dans la riche diversité des religions et des cultures, servir les pauvres prépare un avenir de paix. » Lorsqu'on se rencontre en vue d'une mission pour les pauvres et les faibles, une unité très particulière se forge. Elle se forge par la vie. Oui, debout ensemble pour la paix.

*

Chapitre 34

LE MYSTÈRE DE LA PERSONNE

Cette évolution du monde ne correspond-elle pas à une évolution de la notion et de la valeur de la personne humaine ? Pendant des siècles, la personne était considérée à l'aune de ses compétences, de ses qualités, de sa fonction sociale, et, dans cette logique, le faible ne trouvait pas sa place. Les gens se sentaient supérieurs au regard de leur savoir, de leur statut. Dans ce monde, les femmes, les pauvres, les esclaves, et les personnes ayant un handicap ne comptaient pas. Jésus a certes mis l'accent sur la personne en choisissant « le faible et le fou ». Mais d'âge en âge, la conscience universelle s'est rangée du côté de la force, de la compétence et de la performance, perçues comme les éléments constitutifs de l'identité humaine. Au risque de nier la part de faiblesse et de vulnérabilité inhérente à chacun d'entre nous. La fin de la Seconde Guerre mondiale, en 1945, avec la découverte d'Auschwitz et les ravages de la bombe atomique, a favorisé la prise de conscience de la valeur de tout être, avec sa liberté et son unicité. C'est le sens de la Déclaration universelle des droits de l'homme, promulguée par l'ONU en 1948 : « Tous les êtres humains naissent libres et égaux en dignité et en droits. Ils sont doués de raison et de conscience et doivent agir les uns envers les autres dans un esprit de fraternité. » Peu à peu, l'humanité a compris qu'au-delà de la quête de pouvoir importait la vie de la personne, en ce qu'elle possède de plus intime et personnel. C'est là son trésor. On commence à reconnaître que la personne est porteuse d'un mystère. La personne, peut-on la définir ? Non, c'est impossible, sous peine d'enfermer son mystère dans une étiquette. L'innocence à l'origine de la vie est peut-être la meilleure clé de compréhension pour s'en approcher. Même ternie par les peurs, les violences et les pertes que nous subissons, cette innocence ne meurt jamais. Au cœur de nos existences, n'est-ce pas notre faiblesse originelle qui nous fait courir vers toujours plus de nouveauté et nous presse à repousser les limites ? Nous ne sommes jamais satisfaits du fini. Notre cœur est avide de connaissance, de pouvoir, de richesse, d'amour, plus et toujours plus, de manière indéfinie, alors que se cache au fond de nos cœurs un vide, une quête de l'infini, un désir de Dieu. Ce vide est notre plus grande richesse mais aussi notre plus grande faiblesse. L'être humain se sent happé vers un avenir inconnu, mais qu'il espère toujours plus beau. À notre différence, le règne animal demeure figé dans son ordre naturel. Il n'y a pas d'avenir nouveau pour lui, en dehors de la continuité de l'espèce. Ce qui constitue la personne, c'est au contraire cette conscience profonde d'appartenir à la famille humaine — qu'on choisisse ou non de la servir et de l'honorer. Aujourd'hui encore, le sourire de l'enfant innocent, simple et pur, me révèle le mieux le mystère de la personne. Chaque personne est un mystère pour accueillir Dieu ; elle est une immense vulnérabilité en attente de Dieu. Le mystère de la personne, c'est la rencontre !

*

Chapitre 35

ŒUVRER POUR UNE SOCIÉTÉ PLUS HUMAINE

Pendant longtemps, après ma démission de la marine, j'ai eu tendance à spiritualiser de nombreux aspects de mon quotidien. Je voulais demeurer dans l'oraison, creuser le sillon de l'intériorité. Je ne m'intéressais guère aux problèmes de notre monde. Je ne cherchais pas à aimer les autres comme Jésus les aime, lui qui est « l'homme » par excellence (Jean 19). C'est avec l'Arche que j'ai découvert l'importance de chaque personne dans son humanité — et surtout les plus exclus. Il ne s'agissait pas de convertir les autres mais de les comprendre, de les rencontrer, de nouer des liens de confiance. De les écouter, et de les écouter humblement. Le grand problème de notre temps tient à la déshumanisation de nos sociétés. Tant de jeunes se jettent dans une quête farouche de succès individuel, sans réelle vision collective, ou tombent dans le découragement ou l'ennui sans espérance dans l'avenir. Ils soulagent leur tristesse et leur peur du vide par des drogues, de l'alcool, ou d'autres formes d'addictions. Le monde politique est en désarroi, rongé par les conflits internes de chaque parti. Nos Églises d'Europe peinent à trouver l'espérance et la simplicité de l'Évangile. Certains chrétiens se replient dans une forme étroite de protection de la foi.

Heureusement, au milieu de ces turbulences, le pape François fait retentir un message de paix. Un message qu'il nous envoie porter à toutes les périphéries de nos sociétés. Il nous encourage à rencontrer et à relever les personnes rejetées, pour les conduire vers l'espérance. Autrefois, j'imaginais qu'être humaniste revenait à refuser la foi et la spiritualité. J'ai compris peu à peu qu'il s'agissait au contraire de devenir plus humain, de mettre la spiritualité au cœur de soi. Cela implique la conviction que nous formons tous ensemble une grande famille. Un lieu universel, ouvert à l'autre et surtout au plus pauvre, pour le rejoindre dans ce qu'il y a de plus beau et de plus vulnérable en lui. L'époque que nous traversons exprime un besoin criant d'être humanisée. Les entreprises, les hôpitaux, les écoles, les institutions, les universités, les Églises sont appelés à devenir des lieux où chaque personne trouve sa place, où chaque personne est vue comme importante et écoutée. En commençant par les plus faibles et les plus exclus, car ce sont eux qui ouvrent le chemin de la véritable humanisation. Non des lieux de domination par les forts, où règnent des idoles comme l'argent et le pouvoir : celles-ci, qui exigent tellement de victimes pour pouvoir subsister, déshumanisent ceux qui leur rendent un culte. Mais des lieux où la relation est première, des lieux où le rendement et le savoir ne sont pas devenus des maîtres absolus. Des lieux où tous œuvrent de concert pour que la mission évangélique des Églises ne soit pas entravée par l'institution.

Il nous faut dépasser ce qui peut nous apparaître négatif chez l'autre, le différent. Apprendre à discerner ce qu'il y a de beau et de positif en chacun. Le danger serait de s'en tenir à la compétition, aux postures de vainqueurs, au lieu de servir la solidarité. Oui, sachons reconnaître le cadeau caché en l'autre, le différent ; son innocence primale. Sachons recevoir ce cadeau, privilégier la fraternité à la domination, la communauté à l'individualisme. Il s'agit de trouver le ressourcement nécessaire pour devenir soi-même, et découvrir son cœur le plus profond. Libre de grandir dans l'amour des autres. Ce ressourcement passe souvent par la prière silencieuse. Il passe aussi par la communauté. Des personnes unies dans l'humilité et dans la vérité autour d'une mission commune.

*

Chapitre 36

DE L'IRLANDE À LA PALESTINE,
UN CHEMIN DE PAIX

Dans les années 1990, le président américain Bill Clinton a envoyé le sénateur George Mitchell pour œuvrer au processus de paix en Irlande du Nord. Cet homme d'une grande envergure a conduit avec intelligence et patience les négociations entre les différentes parties de ce conflit insoluble et sanglant. Il a vite compris que sa mission serait vouée à l'échec si chacun ne changeait pas d'attitude. Les uns et les autres se rejetaient sans cesse la faute. Les rêves de paix s'éloignaient chaque jour. Le sénateur eut alors cette idée inattendue : un soir, il a convié tous les participants dans un restaurant de Belfast. Seule consigne : pas de politique à table. On ne parle que de soi, de sa femme, de son mari, de ses enfants, de la pluie et du beau temps, de lectures et de parties de pêche… De tout ce qui relève de l'humain. Tous se sont prêtés au jeu. Et c'est au lendemain de cette rencontre, le 10 avril 1998, qu'ont pu être signés les accords du Vendredi saint, détaillant une solution politique pour mettre fin à trois décennies de violences et de divisions. Certes, cet élan n'a pas duré. Mais le temps d'une soirée, le sénateur Mitchell avait su ramener les choses à l'essentiel. Avant d'être des ennemis, tous étaient des humains avec des cœurs.

*

Une autre histoire d'humanisation est racontée par l'évêque anglican sud-africain Desmond Tutu dans son *Livre du pardon*, écrit avec sa fille. Le Prix Nobel de la paix 1984 y retrace l'itinéraire de Bassam. À l'âge de 12 ans, ce jeune Palestinien a vu l'un de ses amis du même âge mourir sous le feu d'un militaire israélien. Bassam s'est senti consumé d'un tel désir de vengeance qu'il a commencé à planifier une attaque contre des soldats de Tsahal. Arrêté à 17 ans, il est condamné à sept ans de prison. Sa captivité ne fait qu'attiser sa haine : il est battu, humilié. Entre les gardes israéliens et les détenus palestiniens, les insultes pleuvent. Le climat est très rude. Mais une rencontre va tout changer. Voici ce qu'écrit Tutu : « Lors de sa détention, Bassam entame un dialogue avec l'un de ses gardiens. Pour chacun d'eux, c'est l'autre qui est le "terroriste". Tous deux nient être des "colonisateurs" dans ce pays qu'ils partagent. À travers ces conversations, ils se rendent compte, peu à peu, des points communs qui les relient. Pour Bassam, c'est la première fois de sa vie qu'il fait l'expérience d'un sentiment d'empathie. » Et il poursuit : « En observant la transformation qui s'opérait dans les sentiments entre lui et son geôlier, en prenant conscience de leur humanité partagée, Bassam commence à réaliser que la violence ne pourra jamais apporter la paix. Cette prise de conscience va changer sa vie. »[1]

Ces deux anecdotes nous révèlent la même vérité. La violence engendre la violence. Seule la découverte de notre humanité fragile peut ouvrir un chemin de paix. Comment rejoindre l'autre, différent de moi, et l'entendre dans sa vulnérabilité ? Quelque chose doit changer en moi. Ce changement d'approche implique une spiritualité ouverte, orientée vers l'amour et l'accueil inconditionnel, seule à même de recevoir le don de l'autre.

Cependant, ce cheminement vers une libération totale est tout sauf un long fleuve tranquille. C'est un chemin de souffrance, qui appelle une transformation profonde. Deux femmes, l'une israélienne et l'autre palestinienne, ont vécu le même drame : un fils tué par l'ennemi[2]. La rencontre de ces deux mères, chacune blessée dans sa propre chair, a dû passer par des moments extrêmement décapants. Que l'ennemi devienne un ami demande une force qui brise et relève. Une force qui vient de Dieu. Ces deux femmes, chacune à sa manière, ont su dépasser non seulement la haine de l'ennemi mais aussi la colère de leur propre groupe, qui voit dans leur collaboration une trahison de la cause. Une cause souvent mue par la violence et la recherche de pouvoir. Un chemin de paix demande du courage. Il puise sa source dans les larmes et les souffrances que nous partageons.

*

---

1. *Le Livre du pardon : quatre étapes pour transformer nos vies et le monde*, de Desmond Tutu et Mpho Andrea Tutu (Guy Trédaniel, 2015).

2. *Nos larmes ont la même couleur*, de Bushra Awad et Robi Damelin, avec Anne Guion (Cherche-Midi, 2015).

Chapitre 37

QUELQUES *FIORETTI*

Tout au long de ma vie, j'ai eu l'immense grâce d'être appelé à annoncer l'Évangile dans des contextes très variés. Sans relâche, j'ai témoigné que les personnes avec un handicap mental sont un chemin privilégié vers Dieu. Partout, ces interventions ont donné lieu à d'émouvantes rencontres, déconcertantes parfois, mais toujours singulières. Elles ont dessiné un chemin d'espérance et d'unité.

L'ŒCUMÉNISME DU GOULAG

Peu après la chute du mur de Berlin et l'effondrement du régime soviétique, j'ai été invité dans un théâtre de Moscou, pour prêcher une retraite à des orthodoxes, des catholiques, des baptistes, des pentecôtistes... Au bout d'un moment, le responsable de l'Église pentecôtiste s'est levé et il a dit : « En prison, nous étions tous immensément unis. Catholiques, orthodoxes, pentecôtistes et baptistes. Mais maintenant que nous avons retrouvé la liberté, le drame de nos divisions éclate de nouveau... »

MUFTI, MON AMI

En Syrie, j'ai donné une conférence présidée par le mufti d'Alep, considéré comme un haut dignitaire musulman dans son pays. L'auditoire était composé de deux cents à trois cents musulmans, surtout des femmes. À l'issue de la rencontre, le mufti s'est levé et il m'a remercié, en déclarant : « Si j'ai bien compris, vous nous dites que si l'on reste proche des personnes avec un handicap mental, alors elles nous conduisent vers Dieu. » Puis il m'a convié dans un salon attenant, où nous avons pu nous restaurer. Délicatement, il a choisi de sa main une petite pâtisserie et l'a déposée dans ma bouche, signe d'une amitié très particulière entre nous.

RENDEZ-VOUS MANQUÉ...

Changement de décor : nous voici dans la prestigieuse université américaine Notre-Dame, où l'Arche s'était vu remettre un don de dix mille dollars au cours d'une cérémonie. J'avais préparé un discours censé être prononcé devant un grand nombre d'étudiants. J'avais soigné chaque formule, désireux d'encourager tous ces jeunes catholiques à transmettre un message d'espérance aux pauvres du monde. On me conduit à la salle de conférence et, à mon étonnement, l'auditoire se compose d'une cinquantaine d'hommes et de femmes porteurs de handicaps intellectuels graves, en fauteuil roulant, venus spécialement d'un centre voisin de l'université. Il y avait là quelques professeurs, mais pas l'ombre d'un étudiant. Je me sentais assez étonné et perdu. J'ai quitté Notre-Dame stimulé et ému, mais avec beaucoup de tristesse et un peu de colère, comme après un rendez-vous manqué : j'espérais tant pouvoir transmettre ma flamme à ces jeunes universitaires, eux qui sont les bâtisseurs de demain !

À LA LUEUR D'UNE FLAMME

Je fus, à Calcutta, l'hôte du centre Ramakrishna, fondé en mémoire d'un grand maître spirituel hindou. Il y avait là tous les membres de notre communauté locale, mais peu de personnes extérieures, hélas. Étrange atmosphère ; notre petit groupe, dans une si vaste salle ! Au bout d'une quinzaine de minutes, les lumières se sont éteintes : panne générale d'électricité. Les rares auditeurs ont profité du *blackout* pour s'éclipser sur la pointe des pieds, et j'ai invité nos membres à former un cercle autour de moi, après avoir allumé une bougie. Bien sûr, j'étais déçu du désintérêt suscité par notre présence, mais, dans le clair-obscur de cet instant, nous avons vécu une expérience d'unité.

DOULOUREUSE UNITÉ

L'une des plus belles conférences dont je me souvienne s'est tenue à l'assemblée générale de l'Église unie du Canada, en lien étroit avec l'Arche. Quelle émotion de voir notre témoignage reçu avec tant d'intensité et d'écoute ! Peu après, nous avons vécu une retraite œcuménique avec des évêques catholiques, anglicans, ainsi que des modérateurs de l'Église protestante unie. Je me souviens de la douleur ressentie par beaucoup, face à l'impossibilité de communier à la même table, malgré cette unité spirituelle que nous avions touchée du doigt.

LES TRIBUS DU GRAND NORD

Embarquons maintenant pour le Grand Nord canadien, non loin d'Alberta. J'ai eu la joie d'y rencontrer des représentants des tribus Déné, qui forment l'un des nombreux peuples autochtones du Canada. Aucun d'eux ne parlait français ni anglais. Nous communiquions grâce à un interprète. Avant le début de la retraite, une délégation d'une autre tribu est venue me demander si j'accepterais de prêcher l'année suivante pour eux. Au préalable, ils tenaient à s'assurer de l'authenticité de ma parole : « Nos anciens vont vous écouter et ils sauront si vous dites vrai car ils auront des songes. » Cet examen, j'ai dû le passer avec succès, car ils ont confirmé à l'issue de la retraite leur désir de m'acçueillir !

ENTRE LES BARREAUX, LA LUNE...

Donner des conférences dans de grandes prisons canadiennes, y compris de haute sécurité, fut l'une de mes expériences les plus radicales. Dans l'une d'elles, je disposais de ma propre cellule. Les yeux rivés sur la lune, entre les barreaux métalliques, je me sentais uni à tous ces détenus qui, dans toutes les prisons du monde, contemplaient le ciel au même instant...

Forts de nos contacts dans le milieu carcéral, nous avons pu organiser un week-end de réflexion avec des détenus, des gardiens et des directeurs de prison, mais aussi des aumôniers. Nous étions tous logés à Ottawa, dans une prison désaffectée. Chacun dans sa propre cellule. Le matin, nous prenions le petit déjeuner ensemble. Nous ne nous connaissions pas. Nous n'étions plus que des prénoms : Jean, Pierre, Albert... Si bien que vous ne saviez jamais si vous vous adressiez au directeur pénitentiaire, au psychologue, au garde ou au détenu. J'ai vite observé que nous cherchions d'instinct à découvrir la fonction de l'autre, avant même de songer à l'écouter. Pourtant, tous ont joué le jeu. Imaginez notre émotion, à l'issue de ces deux journées recluses, lorsque chacun a pu dévoiler qui il était...

SERVIR À GENOUX

Dans l'une de nos communautés, une femme musulmane était réticente à l'idée de célébrer le Jeudi saint à nos côtés. Elle considérait que cette cérémonie chrétienne lui était interdite. Ne pouvant accepter qu'un homme lui lave les pieds, et n'imaginant pas laver les siens, elle a finalement décidé de se joindre à nous, pourvu qu'elle soit bien entourée de femmes. Elle a lavé les pieds de l'une des nôtres. Et quelque chose en elle a été touché. À l'issue de la célébration, elle nous a dit ces mots : « Ce n'est pas une cérémonie chrétienne, c'est une cérémonie pour nous tous. » Et elle a ajouté : « Désormais, je veux servir les gens à genoux. »

*

Chapitre 38

LE PÈRE JOSEPH WRESINSKI, APÔTRE DE LA TRANSFORMATION

Son nom a déjà été mentionné plusieurs fois dans ce livre. J'ai eu la très grande grâce de côtoyer le père Joseph Wresinski (1917-1988), fondateur d'ATD Quart Monde. Cet homme admirable avait lui-même grandi dans une extrême pauvreté, et au cours des longues années qu'il a passées à Noisy-le-Grand, en région parisienne, il s'est donné corps et âme à ce peuple vivant en grande pauvreté. Le père Joseph est venu animer à Trosly une journée de récollection pour les assistants, sur l'eucharistie comme source de vie pour les exclus. Il a également envoyé deux de ses meilleurs collaborateurs relever notre communauté de Ouagadougou, au Burkina Faso, qui traversait un moment délicat. Non contents d'épauler la communauté, ces deux membres d'ATD m'ont permis de découvrir un centre où étaient accueillies en grand nombre des femmes âgées, bannies de leur maison et de leur village. À leurs côtés, j'ai pu aussi visiter un refuge hébergeant pour la nuit les mendiants de Ouagadougou, et leur parler. Ils étaient une quarantaine, dans un dénuement extrême, chacun et chacune avec des blessures et des handicaps physiques bien visibles, couchés sur de la paille. Que leur dire ? Je me sentais perdu. Jésus m'a alors inspiré de leur raconter la parabole de Lazare (Luc 16,19-31) : un mendiant, couvert de blessures, était accroupi devant la maison d'un homme riche, qui donnait de grandes réceptions. Comme Lazare aurait aimé manger les miettes de la table festive ! Lazare est mort et il est entré, nous dit Jésus, dans le sein d'Abraham. Le riche aussi est mort. Mais lui est entré dans le lieu des tourments. Alors il a crié vers Abraham : envoie-moi Lazare, qu'il me rafraîchisse avec de l'eau. Impossible, a répondu Abraham, car il y a un abîme entre lui et toi. J'irais jusqu'à dire qu'Abraham aurait pu ajouter que cet abîme existait déjà au cours de leur vie terrestre, quand, du haut de sa maison, l'homme riche n'a jamais voulu rencontrer Lazare. Cet abîme était comme cette route que personne n'ose franchir près de Santiago, au Chili. Cette route qui sépare l'univers des riches de celui des pauvres. Les sans-abri de ce centre m'ont applaudi au dénouement de l'histoire : Lazare heureux dans le sein d'Abraham. N'était-ce pas le cœur de leur espérance ? Le père Joseph est une lumière pour moi. Il affirme que « l'unité et la paix ne peuvent venir que si nous surmontons les abîmes qui séparent les êtres humains ». La personne avec un handicap que vous rencontrez tous les jours, disait-il aux assistants de l'Arche, est « bâtisseur du Royaume, car elle est bâtisseur de tendresse. Elle est appel à la tendresse. Elle est bâtisseur du Royaume car elle a besoin d'être aimée, et qu'elle a besoin d'aimer ». Pour lui, les personnes exclues sont les sauveurs de l'humanité.

*

Chapitre 39

DEUX LUEURS SUR MA ROUTE

Outre Mère Teresa, dont j'ai déjà brossé le portrait, d'autres femmes proches des pauvres, proches des personnes de religions différentes, ont éclairé ma vie. Elles m'ont confirmé que mon chemin de libération et de chercheur de paix passe par la rencontre avec celles et ceux qui dans notre société sont mal considérés et exclus.

*

Après avoir été proche des milieux anarchistes et de l'ultra-gauche américaine, Dorothy Day (1897-1980) a découvert Jésus et l'Église catholique. Son cœur était brûlant de justice pour tous les êtres humains. C'est en 1971 que nous nous sommes rencontrés. À New York, elle fut à l'initiative d'une communauté destinée à accueillir les gens de la rue. Cette première fondation a donné naissance à une centaine d'autres à travers les États-Unis. Dorothy Day vivait parmi les personnes les plus blessées. Aujourd'hui, le Catholic Worker Movement (Mouvement catholique ouvrier) perpétue cette hospitalité inconditionnelle en venant en aide aux gens de la rue, aux immigrés latinos voués aux embûches administratives, à la précarité. Dorothy Day était aussi une fervente partisane de la non-violence. Elle a été une lumière pour tant de personnes. Elle n'était pas toujours bien vue par l'Église, et parfois incarcérée en raison de son activisme contre la guerre du Vietnam. Mais elle ne critiquait jamais l'Église, soucieuse d'avancer pour annoncer une vision sociale juste, un Jésus non violent, ami des pauvres.

*

J'aimerais aussi évoquer la mémoire de petite sœur Magdeleine Hutin (1898-1989). En 1921, grâce à un livre de René Bazin, elle découvre la vie de Charles de Foucauld, dont elle décide de poursuivre l'œuvre spirituelle. Elle fonde en 1939 une nouvelle congrégation, les Petites Sœurs de Jésus, qui se déploiera d'abord en Algérie auprès des populations nomades musulmanes, et puis dans de nombreux pays, toujours dans les quartiers les plus pauvres. C'est dans la basse ville de Montréal, bien avant la fondation de l'Arche, que j'ai eu la chance de les connaître. Par la suite, j'ai retrouvé petite sœur Magdeleine à Rome, au sein de leur fraternité générale. Je lui dois la découverte de toutes ces petites fraternités cachées dans les coins les plus difficiles du monde, parmi les plus souffrants et les plus exclus. Plus tard, j'ai côtoyé les Petites Sœurs dans un ghetto de Chicago. Imaginez un appartement exigu, au cinquième étage d'une bâtisse vétuste. Un crucifix indiquait la porte d'entrée, accompagné d'une représentation du cœur blessé de Jésus. J'y pénétrai

en pleine adoration du Saint-Sacrement. Quelle vie offerte...
Offerte à Dieu, pour relever les exclus. Cette même fraternité
fut le théâtre d'un drame qui m'a beaucoup choqué. Un jour,
un homme du voisinage dégaine un revolver au cours d'une
fête arrosée, et tire un coup de feu en l'air. La balle s'introduit
par la fenêtre, ricoche à travers la chambre où se trouvent les
petites sœurs et vient frapper l'une d'elles en plein cœur, elle
qui avait offert sa vie pour le peuple noir. Elle est morte sur le
coup. J'ai rencontré d'autres petites sœurs en Europe, d'autres
en Syrie, en Palestine dans les quartiers musulmans. Beaucoup
ont partagé notre vie, notamment au sein des communautés Foi
et Lumière. En Serbie, ce sont elles qui m'ont accueilli. J'ai été
touché par leur vision. Incarner la présence de Jésus dans les
coins les plus difficiles et les plus exigus, à l'image de ces petites sœurs qui vivaient dans une tente au Niger, aux côtés des
Touaregs. Elles conduisaient leur propre troupeau de chèvres,
dont elles vendaient le lait et le fromage pour subsister. Sans
faire de bruit, les petites sœurs à travers le monde vivent leur
mission : présence à Jésus et présence aux plus pauvres. Leurs
fraternités sont des lumières qui éclairent notre monde si blessé.

*

Chapitre 40

LE POUVOIR DE LA MISÉRICORDE

Permettez-moi de vous partager mon coup de cœur pour un bref message vidéo du pape François, mis en ligne par le Vatican en janvier 2016, à l'occasion de l'Année de la miséricorde. En une minute trente, tout est dit. S'exprimant en espagnol, sa langue maternelle, le pape appelle à prier pour que le dialogue sincère entre les hommes et les femmes de différentes religions porte des fruits de paix et de justice.

« La majeure partie des personnes sur la terre se déclarent croyants, et cela devrait conduire à un dialogue entre les religions, souligne-t-il. Seulement à travers le dialogue nous pourrons éliminer l'intolérance et la discrimination. Le dialogue interreligieux est une condition nécessaire pour la paix dans le monde. Nous ne devrions jamais cesser de prier pour cela et de collaborer avec ceux qui pensent différemment. »

Alors, à l'écran, se succèdent plusieurs personnalités représentant différents courants religieux. Tous expriment leur foi en des termes qui leur sont propres. « Je mets ma confiance en Bouddha », déclare le lama Rinchen Khandro ; « Je crois en Dieu », dit le rabbin Daniel Goldman ; « Je crois en Jésus-Christ », proclame le père Guillermo Marco tandis qu'Omar Abboud, dirigeant musulman, affirme : « Je crois en Allah. »

Et le pape reprend : « Beaucoup pensent de façons différentes, entendent de manière différente. Ils cherchent Dieu ou trouvent Dieu différemment. Certains se disent agnostiques, ils ne savent pas si Dieu existe ou non. D'autres se disent athées. Dans cette multitude, cette ample gamme de religions et d'absence de religion, il n'y a qu'une seule certitude : nous sommes tous des fils de Dieu. »

Puis les mêmes responsables font résonner, l'un après l'autre, une conviction commune : « Je crois en l'amour. »

Oui, ce qui nous unit est plus grand que ce qui nous divise. Cette séquence m'a beaucoup touché. Évidemment, elle pose toutes sortes de questions : qu'est-ce que l'amour ? Mais elle est déterminante. Pourquoi prêcher la miséricorde ? Au fond de lui, le pape brûle de voir disparaître les divisions entre les bien-portants et les mal-portants, entre les riches et les pauvres, entre les gens de différentes religions, de différentes couleurs, souvent nourries par la peur. Il brûle des désunions qui gangrènent l'humanité. Il brûle parce qu'au sein même de l'Église perdurent de profondes divisions entre ceux qui prônent l'observance stricte de la loi et ceux qui veulent être à l'écoute de tous, quelles que soient leurs situations. Il brûle car la mission de Jésus est d'annoncer une Bonne Nouvelle aux pauvres. Et il veut que cela sorte. La miséricorde, ce n'est pas juste d'aller se confesser, même si ce sacrement est une libération pour mieux aimer. Il y a cette brûlure chez François. Il n'en peut plus de ces divisions. Et il nous dit : allez vers les périphéries, allez rencontrer les rejetés, comme Jésus est venu annoncer une Bonne

Nouvelle aux pauvres. Il y a ce cri chez le pape. Que les humains se rendent compte du danger colossal qui les guette. Si l'on ne s'éveille pas, on court vers un immense péril. La grande chose, aujourd'hui, pour toi qui crois, afin de croire dans ta foi, apprends à aimer. Et aimer l'ennemi comme Jésus le demande.

*

Je vous avoue que je suis de plus en plus inquiet de voir ces chrétiens qui font venir des prédicateurs ou des conférenciers pour stimuler la peur de l'islam. Nous savons qu'il suffit d'un rien pour que la peur tourne à la haine. À mes yeux, ces personnes vont à l'encontre de toute la vision du pape François, comme celle de Jean-Paul II avant lui. Souvenons-nous de la rencontre d'Assise, en 1986, et du discours aux musulmans du Maroc, un an plus tôt. Cette vision, c'est une vision de rencontre, d'amitié. Un homme comme Mgr Pierre Claverie, tué à Oran en 1996, l'incarnait merveilleusement. Christian de Chergé et les moines de Tibhirine aussi. Bien sûr, il y a des terroristes. Bien sûr, il y a des jeunes désorientés qui se réclament du prétendu État islamique. Mais nous savons que quatre-vingts pour cent des victimes de ces extrémistes sont les musulmans sunnites et chiites eux-mêmes. De la même façon que des yézidis et des chrétiens sont visés à cause de leur foi. Ces hommes qui tuent ne sont pas guidés par une spiritualité musulmane mais par l'ambition politique, le désir de pouvoir, une folie de violence. Je crois qu'il est urgent que nous retrouvions l'esprit de saint François d'Assise qui, en 1219, guidé par sa petite voix intérieure, laisse le camp des croisés à Damiette pour aller rencontrer le sultan Al-Malik al-Kâmil, auprès duquel il séjourne plusieurs jours. Très vite, entre eux deux, naît une estime réciproque. Le sultan s'est ouvert à François et François au sultan. Je voudrais ici exprimer mon amitié pour tous ces musulmans qui tiennent en horreur les terroristes et croient dans le Dieu clément et miséricordieux. Nombre d'entre eux ont soif de démocratie. Lors des récents Printemps arabes, beaucoup aspiraient à des révolutions pacifiques, désireux d'élargir les libertés essentielles, en vue d'un monde plus fraternel et plus humain. Je ne suis pas naïf : je sais aussi la puissance de séduction des courants les plus rigoristes de l'islam, mais je crois néanmoins en une espérance partagée par de nombreux musulmans, qui souhaitent vivre leur foi en paix dans nos sociétés.

À cet égard, notre communauté de Bethléem est pour moi un lieu d'immense joie. Pour l'heure, seul un accueil de jour est proposé à ces Palestiniens en situation de handicap vivant toujours avec leurs parents. Mais c'est une vraie communauté pleine d'allégresse et de chants, en même temps qu'un lieu de travail. Avec la laine des troupeaux de Bethléem sont façonnés d'adorables petits moutons ainsi que des crèches miniatures. La communauté est composée à quatre-vingts pour cent de musulmans, avec seulement vingt pour cent de chrétiens. L'amour ? Entre eux, il ne fait aucun doute. En décembre 2015, quelques semaines après les attentats de Paris, j'ai vécu un moment inoubliable à leurs côtés. Je peux dire que cette fraternité qui m'unit à mes frères et sœurs musulmans, assistants et personnes avec un handicap mental, m'apparaît comme la source d'une immense espérance. Au-delà des appartenances, nous découvrons que nous sommes véritablement frères et sœurs, croyants au Dieu de la miséricorde.

Le testament spirituel de Christian de Chergé, prieur de Tibhirine, écrit il y a plus de vingt ans et laissé chez sa sœur au cas où il serait tué, demeure pour moi d'une brûlante actualité. Et il me plaît de méditer ces paroles, à l'heure où la peur érige partout ses barrières :

« Voici que je pourrai, s'il plaît à Dieu, plonger mon regard dans celui du Père pour contempler avec Lui ses enfants de l'islam tels qu'Il les voit, tout illuminés de la gloire du Christ, fruits de Sa Passion, investis par le don de l'Esprit dont la joie secrète sera toujours d'établir la communion et de rétablir la ressemblance, en jouant avec les différences.

Cette vie perdue, totalement mienne, et totalement leur, je rends grâce à Dieu qui semble l'avoir voulue tout entière pour cette JOIE-là, envers et malgré tout.

Dans ce MERCI où tout est dit, désormais, de ma vie, je vous inclus bien sûr, amis d'hier et d'aujourd'hui, et vous, ô amis d'ici, aux côtés de ma mère et de mon père, de mes sœurs et de mes frères et des leurs, centuple accordé comme il était promis ! Et toi aussi, l'ami de la dernière minute, qui n'auras pas su ce que tu faisais.

Oui, pour toi aussi je le veux ce MERCI, et cet "À-DIEU" envisagé de toi.

Et qu'il nous soit donné de nous retrouver, larrons heureux, en paradis, s'il plaît à Dieu, notre Père à tous deux. Amen ! *Inch' Allah*. »

*

Chapitre 41

Une rencontre et un risque

En 2016, le pape François nous a appelés à vivre un jubilé de la miséricorde parce qu'il désire, selon ses mots, « une Église pauvre pour les pauvres ». À ses yeux, les pauvres ont beaucoup à nous enseigner. Et il ajoute : « Il est nécessaire que tous, nous nous laissions évangéliser par eux. Il s'agit de reconnaître la force salvifique de leurs existences. Nous sommes appelés à découvrir le Christ en eux... à être leurs amis, à les écouter, à les comprendre, et à accueillir la mystérieuse sagesse que Dieu veut nous communiquer à travers eux. » La miséricorde implique une rencontre et même un risque sur le plan humain. Jésus, pour nous révéler qui est notre prochain, dresse le portrait d'un Samaritain pris de compassion pour un Juif battu et ensanglanté (Luc 10). Il l'a rencontré d'une façon inattendue. Il a pris le risque de s'arrêter pour le soigner. Il a versé du vin pour désinfecter ses plaies, et de l'huile pour stimuler sa guérison. Puis il a pris soin de lui, en le veillant toute une nuit. Le Juif a été guéri dans son corps mais aussi dans son esprit. Il a découvert la beauté du Samaritain qu'il méprisait jusqu'alors.

Celui-ci aussi a été transformé. Il a commencé à aimer un Juif, et à travers lui la religion juive. La miséricorde est un risque. Lorsque je rencontre un pauvre, il éveille mon cœur. Nous vivons ensemble un moment de communion. Je découvre qu'il est mon semblable, mon frère en humanité. Et même s'il ne partage pas ma religion ou ma culture, je ne sais jusqu'où il peut m'entraîner… Il éveille en moi l'Esprit saint. Il m'apporte quelque chose de nouveau sur le plan humain et de la grâce. Il éveille Dieu en moi.

Cet éveil, cependant, se vit parfois dans la douleur. Je me souviens d'une femme qui m'avait accosté, près de Saint-Germain-des-Prés :

« Donne-moi dix euros !

– Pourquoi ?

– J'ai faim.

– Pourquoi tu as faim ?

– Je me suis échappée de l'hôpital psychiatrique. »

Je me suis approché d'elle pour essayer de comprendre sa situation, ses besoins. Et puis, soudainement, la peur m'a envahi. Cette femme allait m'entraîner trop loin, si je m'attardais à l'écouter. Je lui ai alors tendu un billet de dix euros et j'ai passé mon chemin. La miséricorde est une rencontre. Mais c'est un risque. Je n'ai pas voulu aller plus loin, je n'ai pas osé ce risque. On ne sait jamais jusqu'où le pauvre va nous entraîner. Suivre Jésus est toujours un risque. Mais ce risque est aussi une promesse : Jésus nous donnera la force. Cette insistance du pape François sur la miséricorde doit, me semble-t-il, être entendue comme un appel à rencontrer les personnes en grande difficulté. Se laisser toucher par elles. Et, *in fine*, vivre une communion. Si nous les suivons, elles nous conduiront peut-être là où nous redoutions d'aller, mais cette rencontre changera nos cœurs, nous fera devenir plus humains, en nous ouvrant à la dimension du cœur de Dieu et à une véritable expérience de son Royaume. S'ouvrir au pauvre et le rencontrer est toujours une grâce donnée par le Dieu de la miséricorde, qui nous transforme et nous appelle à aller plus loin.

Répondre au cri du pauvre devient un appel. L'appel devient une attirance. L'attirance devient une générosité. La générosité devient une rencontre. La rencontre devient communion et présence de Dieu.

La miséricorde, c'est aller vers le bas. Vers les rejetés, les brisés, les exclus. Pour les relever. Et leur donner la vie. Aller vers le bas, c'est aussi regarder la Terre. La beauté de notre planète brisée par l'avarice : pollution des eaux et des airs, destruction des espèces vivantes... Dans son encyclique *Laudato si'*, le pape François nous lance un cri d'avertissement. Prendre soin de notre planète et sauver des vies humaines sont deux urgences indissociables. Car il y a un lien intime entre les terribles injustices de nos sociétés et la crise écologique que nous connaissons. Tant de mécanismes sont contrôlés par l'argent. Nous œuvrons pour nous-mêmes, au profit de nos petits groupes, oubliant notre grande famille humaine et la Terre que nous avons reçue en partage.

*

Chapitre 42

LE CRI

Je vous ai déjà parlé de Pauline, que nous avions accueillie à l'Arche. Sa violence était un cri. Un cri pour être aimée, pour être reconnue. Un cri qui traverse les murs. Nous savons que Dieu entend le cri des pauvres. Ce cri, c'est le cri de tant d'hommes et de femmes qui survivent dans une précarité dramatique, dans tous les bidonvilles de la planète, dans les quartiers déshérités de nos villes. C'est aussi celui de tous ceux qui ont été humiliés. Ce cri est comme celui du nourrisson qui sort du sein de sa mère et dont les poumons se gonflent d'air pour la première fois. C'est le cri d'angoisse de l'enfant arraché à la sécurité du ventre maternel pour affronter l'infini du monde. Ce cri est à l'origine de toutes nos vies. Le cri peut être aussi un appel au secours, lorsqu'un danger survient. Un cri qui dit : viens à mon aide. Sans oublier le cri final de nos vies, le dernier cri. Tous ces cris, nous les cachons souvent derrière nos barrières et nos masques, car nous avons peur de dévoiler notre cœur profond. En chacun sommeille un cri pour être aimé. Inconditionnellement. Et ce cri nous renvoie au cri

de Dieu. Le théologien anglican David Ford, un ami de l'Arche
dont j'ai déjà parlé, écrit que le royaume de Dieu, c'est le cri
de Dieu qui rencontre le cri du pauvre. Le cri du pauvre, nous
le connaissons, nous l'entendons. Nous ne pouvons ignorer la
clameur de tous ceux qui souffrent, même si souvent nous nous
cachons pour éviter de l'entendre. Mais le cri de Dieu, c'est un
mystère. N'est-ce pas ce mystère qui nous est révélé quand Jésus
parle du berger cherchant la brebis perdue ? Rien ne nous est
dit de la joie de la brebis retrouvée. Il est bien question, en revanche, de celle du berger (Luc 15). La joie du berger, c'est celle
de Dieu lorsqu'il rejoint le cri du pauvre égaré. Oui, le Verbe
s'est incarné à cause du cri du pauvre. Pour nous annoncer
une Bonne Nouvelle. Le mystère de Dieu réside dans cette soif
immense de donner la vie. Il est blessé quand nous nous y re-
fusons. Dieu n'aspire qu'à cette joie. Le cri de Dieu, nous l'entendons lorsqu'au moment de la fête juive des Tentes, Jésus
se lève et s'écrie : « Si quelqu'un a soif, qu'il vienne à moi, et
qu'il boive » (Jean 7,37). Ce cri révèle le désir de Jésus de vivre
en communion avec chacun de nous et que chacun soit comblé d'un bonheur sans fin. Jésus crie du haut de la croix : « J'ai
soif » (Jean 19,28). Saint Grégoire, en commentant cette parole,
l'interprète ainsi : « J'ai soif qu'on ait soif de moi. » Dieu a un
désir énorme de donner la vie, de donner la joie, afin que l'être
humain ne reste pas prisonnier dans les tombes de la mort, de
la tristesse et de la peur. Le cœur de Jésus est un cœur rem-
pli d'amour. Il vient nous chercher, si nous lui laissons une
brèche. C'est le sens du terme grec *parakletos* (le paraclet) promis par Jésus (Jean 14), et que l'on pourrait traduire ainsi : celui qui répond à l'appel. Celui qui répond au cri. Ce cri lancé

pour que Dieu vienne habiter notre pauvreté. De notre pauvreté jaillit le cri. Et Dieu est celui qui répond au cri. C'est le Dieu de l'humilité qui attend l'appel. Il respecte tellement notre liberté qu'il n'entre jamais par effraction. « Voici que je me tiens à la porte, et je frappe. Si quelqu'un entend ma voix et ouvre la porte, j'entrerai chez lui ; je prendrai mon repas avec lui, et lui avec moi » (Apocalypse 3,20). Dieu entre en nous quand nous laissons jaillir le cri du plus profond de notre être et que nous lui ouvrons la porte de notre cœur. Dieu est Amour. Et notre cœur est assoiffé d'amour. Or, au-dessus des pierres qui empêchent la soif de jaillir et qui obstruent nos cœurs, que règne-t-il sinon l'indifférence ? Oui, l'Amour n'est pas aimé ! Devenus humbles et libérés, nos cœurs laissent alors déborder leur soif. Les pauvres crient leur soif. Les dernières paroles de la Bible ne sont-elles pas un cri, leur cri : « L'Esprit et l'épouse disent : viens. Amen, viens Seigneur Jésus » (Apocalypse 22,17). Il nous faut descendre, encore et toujours. Ce besoin, ce n'est pas un cadeau ou une récompense que Dieu voudrait nous donner. C'est une communion. Une rencontre. Une vie.

*

Chapitre 43

L'ARCHE DU CIEL

Il y a quelque temps, Marie-Jo est morte. Des années plus tôt, nous l'avions accueillie à la Forestière, l'une de nos maisons spécialisées, à Trosly. Elle faisait partie de l'Arche depuis si longtemps. C'est un moment toujours très douloureux dans la communauté quand l'un des nôtres s'en va. Surtout aussi soudainement. Marie-Jo a été victime d'un arrêt cardiaque. Nous l'avons aussitôt conduite à l'hôpital. Mais il était déjà trop tard. Elle s'est éteinte en route.

Mourir… Ce rendez-vous, nous l'attendons tous. Quand un décès survient dans la communauté, nous avons l'habitude de nous réunir, la veille des funérailles. C'est ce que nous avons fait pour Marie-Jo. Ensemble, nous avons partagé nos souvenirs, nos photos d'elle. Nous nous sommes remémoré sa vie, notamment les cris qu'elle poussait parfois, dans un accès de souffrance. Dépourvue de parole, Marie-Jo possédait un cri particulier. Un cri qui disait : j'ai mal ! Ou encore : je me sens toute seule ! Il arrivait aussi que ce soit un cri de joie, d'exubérance. Souvent, c'était une façon de dire : j'existe, je suis là !

Ne m'oublie pas ! Nous voilà donc réunis autour d'elle. Chacun y va de son histoire avec Marie-Jo. On pleure. On rit. Et on n'oublie pas de chanter, car la mort est aussi pour nous une occasion de rendre grâce. Oui, merci Jésus de nous avoir envoyé Marie-Jo. Elle était si belle et si pauvre dans son fauteuil roulant. Merci, parce qu'en vivant à nos côtés, elle a changé tant et tant d'assistants. Ceux qui entraient en relation avec Marie-Jo étaient souvent profondément remués, transformés. Parce qu'avec Marie-Jo, comme avec Éric et tous les autres, il fallait prendre le temps. Le temps d'entrer en communion. Le temps d'être avec. Le temps de vivre une présence. Merci Marie-Jo…

Le lendemain, après la messe, nous l'avons portée en terre. Et là encore, toute la communauté fait corps. Unis dans cette immense action de grâce, un chant de louange monte de nos cœurs. Des deuils, nous en avons vécu tant et tant au sein de nos communautés où nous sommes si nombreux, depuis plus de cinquante ans. Le deuil, c'est ce moment important où nous envoyons vers Jésus celle ou celui qui nous a montré un chemin vers Lui. Un moment de grande joie, d'action de grâce profonde. Vient ensuite le dernier départ. L'ultime adieu. Chacun s'avance, pour déposer une petite fleur sur le cercueil, après l'avoir béni en l'aspergeant d'un peu d'eau. Au revoir Marie-Jo, tu seras toujours là pour veiller sur nous. Nous avons plus que jamais besoin de toi ; tu rejoins maintenant l'Arche du ciel.

L'Arche du ciel : une immense famille en Dieu d'hommes et de femmes qui ont souffert de l'exclusion, maintenant réunis dans une unité et une joie extraordinaires, avec celles et ceux qui les ont accompagnés sur la terre. Je songe à trois d'entre elles, Jacqueline, Barbara et Claire, à l'origine de l'Arche, qui ont semé la joie par leur amour, leur rire, leur sourire et le don d'elles-mêmes.

*

Chapitre 44

CHEMINANT DANS LA FAIBLESSE

J'ai renoncé progressivement à mes responsabilités au sein de l'Arche. D'abord dans ma propre communauté, en 1980. Puis, à l'âge de 75 ans, profitant d'une réunion de nos coordinateurs du monde entier, j'ai demandé à quitter le conseil international. Je n'interviendrai plus dans le fonctionnement organique de l'Arche, mais je pourrai continuer de donner des retraites et des conférences lorsqu'on m'y invite. Cette renonciation m'est apparue comme une véritable libération. Les problèmes quotidiens s'éloignaient de moi. Je pouvais — et devais — accorder toute ma confiance aux structures et aux responsables de l'Arche. J'étais libre de continuer la vie avec celles et ceux de mon foyer. Libre de vivre avec Dieu. Au sein de ma communauté, il m'arrivait encore de me débattre avec mes difficultés humaines, notamment relationnelles : je me surprenais parfois à étaler mon savoir, non sans une forme de supériorité. Je me rendais bien compte que j'avais plus que jamais besoin de me désarmer, de devenir plus humble, de laisser davantage de place aux autres. En somme, de devenir plus libre. Une bataille de chaque instant ! Il m'a fallu, en toute vérité, accueillir mes compulsions.

Et saisir que derrière elles subsistaient bien des angoisses secrètes, qui me laissaient comme impuissant. À travers ce livre, j'ai évoqué des moments de joie mais aussi certaines souffrances, qui m'ont beaucoup affecté et en particulier celles concernant les relations sexuelles que le père Thomas a vécues avec certaines femmes profondément meurtries et blessées par ces abus.

*

Durant toute mon existence, j'ai dû aussi lutter avec moi-même, j'ai vécu une grande partie de ma vie en compagnie de personnes blessées, mais aussi avec mes propres faiblesses et pauvretés. J'ai ma propre sensibilité et mes besoins d'aimer et d'être aimé. Je suis une personne comme toute autre, qui peut éprouver de l'empathie pour certains et certaines, et qui peut aussi en écarter d'autres. J'ai pu alors blesser certaines personnes. À la fin de ce livre et à la fin de ma vie, je désire leur demander pardon du plus profond de mon cœur. À Calcutta, lors de la dernière assemblée générale de l'Arche où je suis allé, devant tant de beauté venant de l'Arche, beauté qui m'a tellement émerveillé, j'ai senti le besoin de demander pardon pour toutes mes faiblesses et mes erreurs. À nouveau, au grand soir de ma vie, je demande pardon. Parfois, j'ai été humilié par mes propres faiblesses. Oui, je sens de l'orgueil en moi quand je regarde ma vie, ayant du mal à accepter pleinement mes erreurs, mes fautes. Je crois dans la miséricorde de Dieu qui a conduit tant d'événements dans l'histoire de l'Arche, à travers mes propres faiblesses. Je rends grâce à Dieu pour sa fidélité, car mes pauvretés n'ont pas empêché son œuvre de s'accomplir. Je réalise de plus en plus que l'Arche, avec son développement et l'approfondissement de sa spiritualité, jaillit de la miséricorde de Dieu qui choisit les faibles et les fous pour la réalisation de son plan.

À quoi peut donc ressembler la vie de l'homme de 89 ans que je suis maintenant ? Dans la petite demeure où je réside, tout près de la chapelle et de la Ferme de Trosly, ma joie est d'annoncer Jésus, d'annoncer la folie et les exigences de l'Évangile durant les retraites que j'anime à la Ferme. Annoncer la vie avec les exclus de nos sociétés comme un chemin de paix. Et chaque jour, cette joie culmine lors des repas que j'ai la chance de partager au sein de mon foyer — le Val — avec Pat, Annicette, David, Michel, André (« Doudoul ») et tous mes autres amis. Je pense aussi à Odile Ceyrac, dont nous avons parlé plus haut, à qui l'Arche a confié la mission de veiller sur ma santé et mon grand âge.

Je suis certes plus âgé qu'en 1964. Mais je retrouve aujourd'hui ces fous rires, cette liberté d'être un peu idiot, et ces temps de silence vécus ensemble dans la prière. Comme au premier jour de l'Arche. Le cœur de notre communauté, c'est la folie de croire que l'amour est possible. Et que vivre avec les exclus, c'est vivre avec Jésus. C'est aussi l'espérance d'une utopie.

Mon désir, en vieillissant, est de vivre ce que j'ai toujours annoncé : Dieu est au cœur de la faiblesse. « Ma force se manifeste dans ta faiblesse », dit Jésus à Paul. J'aimerais, dans ce grand âge, avec la possible perte de la mémoire, de la mobilité, et peut-être de la parole, continuer d'annoncer cette présence. Au bout du chemin, il me faudra descendre jusqu'à la faiblesse ultime dans une immense action de grâce à Dieu pour tout ce qu'il m'a donné.

*

Chapitre 45

LA JOIE D'UNE PRÉSENCE

Jésus dit que celui qui accueille un petit enfant en son nom l'accueille lui, et celui qui accueille Jésus accueille le Père. Il y a quelque chose d'extraordinaire dans le fait d'accueillir Jésus comme un enfant. De jouer avec lui, d'être heureux avec lui. L'Évangile indique à plusieurs reprises que Jésus mangeait avec les publicains et les pécheurs. Je crois qu'il éprouvait de la joie avec eux. Je ne suis pas sûr qu'il disait toujours des choses très sérieuses. Le repas, c'est le lieu de l'amitié, un temps de fête. Et c'est ce que nous avons découvert à l'Arche. Jésus nous dit que nous sommes bénis lorsque nous convions à notre table les pauvres, les estropiés, les infirmes et les aveugles. Manger ensemble, c'est entrer dans l'amitié. C'est révéler à l'autre sa valeur : un temps de communion. N'est-ce pas là le cœur de l'Arche ? Être heureux ensemble, manger ensemble, fêter ensemble ?

Parfois, je m'allonge sur mon lit et j'essaye de prendre du temps avec Jésus. Il m'arrive alors de rire tout seul. Je ressemble un peu à Patrick, et je crois pouvoir dire que je suis heureux. Oui, mon bonheur est évident : je me sais aimé. Je suis heureux parce que Jésus est Jésus. Et j'aime le remercier pour ce qu'il est et ce qu'il nous donne. Être avec lui, dans le silence ou dans les rires. Être en communion avec lui, n'est-ce pas se réjouir d'une présence ?

Je me sens particulièrement appelé à prier pour les personnes souffrantes. Je prie aussi pour tous les malfaiteurs qui engendrent cette souffrance : mafieux, terroristes ; tous ceux qui ne reconnaissent pas les personnes faibles. Afin qu'ils puissent vivre une expérience de Jésus, connaître la joie d'être aimés de Dieu et que leur cœur change comme Dieu a changé le mien. Comme je viens de le dire, je découvre à l'Arche un autre aspect de la présence de Jésus : être heureux avec lui, le remercier pour ce qu'il est, me reposer en lui. Je suis ébloui par la petitesse de Jésus, par son humilité. Cette façon qu'il a de se cacher, lui qui peut tout. Il choisit d'enfouir sa toute-puissance dans la faiblesse d'un petit enfant. Un petit enfant qui désire jouer, un petit enfant qui a besoin d'être aimé, un petit enfant qui aime simplement se reposer, un petit enfant qui demeure dans le cœur du Père. J'ai encore beaucoup de chemin à faire pour approfondir ce don de Dieu : cette présence amicale et joyeuse avec Jésus, le lieu de ma joie.

*

Chapitre 46

AU BOUT DU CHEMIN...
UNE ATTENTE, UNE PROMESSE

L'histoire des êtres humains, dès leur origine, est comme cachée dans une nuée épaisse. Dans cette nuée régnaient des violences, perpétuées de génération en génération. Dieu est intervenu d'une façon discrète dans notre histoire pour transformer ces violences, en nous révélant un chemin de paix : Dieu lui-même s'est fait chair. Il est devenu un être humain, avec toute sa part de fragilité, pour nous révéler un chemin qui passe à travers la faiblesse et l'humilité. Jésus est bien différent de l'idée que le peuple juif se fait du Messie. Il accomplit des miracles, c'est indéniable. Mais s'il est venu, c'est avant tout pour demeurer parmi les plus pauvres et les plus faibles. Pour devenir l'ami des exclus. Il tient sa table ouverte aux pécheurs, aux prostituées, aux publicains. Jésus vient révéler que le royaume de Dieu se confond avec le monde des exclus. Mais on n'a pas voulu l'entendre. Les autorités religieuses s'en tenaient à une religion légale, procédurière, enfermée dans ses certitudes, avec toutes les prescriptions issues de la Loi. Une religion de la force, dirais-je même, en tout cas de ceux qui imposent des fardeaux

aux autres (Matthieu 23). Jésus est venu révéler autre chose. Les pauvres sont une présence de Dieu. Il a été jusqu'au bout et on l'a rejeté. On n'a pas voulu de lui. On l'a mis à mort. Comment oublier son dernier cri, le cri d'un pauvre : « Père, pardonne-leur, car ils ne savent pas ce qu'ils font. » Nous vivons désormais dans ce temps situé entre le cri de Jésus sur la croix et les dernières paroles de la Bible, contenues dans l'Apocalypse de Jean : « Viens Seigneur Jésus, viens. »

Nous sommes dans une période d'attente, qui est aussi une promesse.

Viens, Seigneur Jésus, car nous n'en pouvons plus. Nous sommes las de la souffrance. Nous sommes las des divisions. Nous sommes las de voir notre si beau jardin — la Terre — saccagé par l'avarice des nations et des puissants. Et Jésus nous fait signe : il va venir. Mais il va venir dans le cœur des pauvres et des exclus. Comme le dit le père Joseph Wresinski, les exclus sont nos sauveurs. Les personnes avec un handicap nous révèlent le chemin du Royaume. Le cri du pauvre jaillit de notre humanité en guerre, où subsiste tant de haine, de mépris, de désir de pouvoir. Le cri de Jésus est le cri d'un pauvre. « Si quelqu'un a soif, qu'il vienne à moi et qu'il boive. » Jésus est comparable à un aimant, qui désire attirer à lui chaque personne. Jésus vient frapper à la porte de nos cœurs. Il attend que nous disions oui pour pouvoir entrer et manger à notre table. Pour devenir notre ami. Oui, viens Seigneur Jésus, viens...

Mais il est déjà là, caché dans les pauvres. Dans le visage des personnes avec un handicap, sur les lèvres des enfants hurlant leur angoisse, dans le cœur des personnes malades mentales, souffrant d'addictions ou de la maladie d'Alzheimer. Il vient, caché au plus profond du monde des exclus. Il est là, brûlant d'entrer en relation avec nous. Ce cri ultime, viens Seigneur Jésus, est un appel à regarder ceux qui sont de l'autre côté du mur, de l'autre côté de la route que nul n'ose traverser. Un appel à la rencontre. Rencontrer l'autre, en premier lieu le pauvre, celui qui a faim et soif, le prisonnier, le réfugié, le migrant, l'homme nu, celui qui crie à l'aide. Car par cette rencontre, notre cœur s'ouvrira et la source d'eau vive jaillira. À ceux qui s'approchent des exclus pour donner du pain et de l'eau, et un geste d'amour et de fraternité, Jésus dit : « Entrez dans le Royaume de mon Père, préparé pour vous depuis la fondation du monde » (Matthieu 25,34). C'est le cri des pauvres : viens ! Celui qui prête l'oreille découvre une présence de Jésus.

D'un Dieu seigneur, d'un Dieu de puissance, maître et roi, mon chemin m'a conduit peu à peu à la rencontre de Jésus qui vient laver nos pieds. Jésus, caché dans les faibles et les petits. L'accueil de la vulnérabilité révèle sa présence. Une prière d'espérance monte alors à mes lèvres :

Béni sois-tu, Père,
maître et seigneur du monde,
d'avoir caché ces choses aux sages
et aux intellectuels,
et de les avoir révélées aux tout petits.
Béni sois-tu pour ton Esprit
grâce auquel les tout petits
et les humiliés
deviennent le visage de Jésus.
Ensemble,

apprenons à traverser les murs
et les check-points,
apprenons à franchir les routes
qui séparent riches et pauvres
pour devenir des messagers de paix.
Ensemble,
apprenons à nous rencontrer
dans la compassion,
dans la bonté,
dans l'humilité,
et sachons découvrir
à travers l'accueil des humiliés
la communion entre les êtres humains,
une fraternité qui devient alors
communion avec Jésus,
et en lui avec le Père.
Nous voulons par là
préparer ta venue,
viens Seigneur Jésus, viens !
Amen.

*

TABLE DES MATIÈRES

TABLE DES MATIÈRES

Composition et mise en pages
Nord Compo à Villeneuve-d'Ascq

Cet ouvrage est imprimé sur un papier certifié PEFC
Qui garantit la gestion durable et responsable des ressources forestieres

Achevé d'imprimer en France en Août 2017
par Normandie Roto Impression s.a.s., 61250 Lonrai
Dépôt légal : septembre 2017 — N° d'impression : 1703268